Collection « Rafales »

Ma vie me prend tout mon temps

Du même auteur

Nous tous déjà morts, roman, Montréal, Stanké, 2000.

Journal de l'infidèle, roman, Hull, Vents d'Ouest, 2000.

Scènes de la vie gaie (dir.), Montréal, revue *Mœbius,* n° 82, Triptyque, 1999.

Écrire gai (dir.), Montréal, Stanké, 1999.

Un condamné à vivre s'est échappé, biographie, Hull, Vents d'Ouest, 1997.

Gaston L'Heureux, malgré lui, biographie, Montréal, Stanké, 1996.

Retour sur les années d'éclipse, roman, Montréal, Stanké, 1996.

Souvenirs inventés, nouvelles, Montréal, VLB éditeur, 1993.

Silences improvisés (collectif), Montréal, XYZ, 1991.

Robert Charbonneau, le doute et le secret, essai, Montréal, XYZ, 1991.

Une heure avec, nouvelle, France, Éditions de l'Aléï, 1988.

Courriel de l'auteur:
salducci@sympatico.ca

Sites Internet de l'auteur:
www3.sympatico.ca/salducci
www.salducci.com

nts d'Ouest

Pierre SALDUCCI

MA VIE ME PREND TOUT MON TEMPS

NOUVELLES HISTOIRES DE PIERRE FORTIN

Données de catalogage avant publication (Canada)

Salducci, Pierre, 1960-
   Ma vie me prend tout mon temps : nouvelles histoires de Pierre Fortin

   (Rafales. Nouvelles)

   ISBN 2-89537-068-0

   I. Titre. II. Collection.

PS8593.U534M3 2003   C843'.54   C2003-941118-4
PS9593.U534M3 2003

Nous remercions le Conseil des Arts du Canada de l'aide accordée à notre programme de publication. Nous reconnaissons l'aide financière du gouvernement du Canada par l'entremise du Programme d'Aide au Développement de l'Industrie de l'Édition (PADIÉ) pour nos activités d'édition. Nous remercions également la Société de développement des entreprises culturelles ainsi que la Ville de Gatineau de leur appui.

Dépôt légal — Bibliothèque nationale du Québec, 2003
              Bibliothèque nationale du Canada, 2003

Direction littéraire : Micheline Dandurand
Révision : Marie-Claude Leduc
Correction d'épreuves : Lise Marcaurelle
Infographie : Christian Quesnel

Éditions Vents d'Ouest inc.
185, rue Eddy
Gatineau QC J8X 2X2
Téléphone :   (819) 770-6377
Télécopieur : (819) 770-0559
Courriel :   info@ventsdouest.ca
Site Internet : www.ventsdouest.ca

Diffusion au Canada : PROLOGUE INC.
Téléphone :   (450) 434-0306
Télécopieur : (450) 434-2627

*L'auteur a bénéficié d'une aide à la création littéraire
du Conseil des arts et des lettres du Québec.*

Préambule

Quand Lou Goaco a terminé son histoire, il avait une sorte d'air rêveur sur le visage. Ni triste, ni rien du tout. J'ai constaté une fois de plus que je n'arrivais jamais à décoder quelle pouvait être la teneur réelle de ses émotions sous son apparence impassible. Il a eu un soupir pendant lequel je me suis demandé à quoi il pouvait bien penser. Puis, alors que je ne m'attendais plus à rien, Lou Goaco a repris la parole en disant que maintenant il était séropositif à son tour, mais qu'il s'en foutait, que le sida lui avait pris la personne qu'il aimait le plus au monde et que, sans Thierry, il ne voulait plus continuer, que la vie sans lui ne l'intéressait pas, qu'il attendait juste de crever, et que le plus tôt serait le mieux.

On n'oublie jamais ces instants, jamais. Cela n'a pris qu'une seconde et tout à coup le sida était dans ma vie, et bien réel cette fois. J'avais vingt-cinq ans et je crois qu'à ce moment j'ai très bien compris que cet intrus qui venait de pénétrer dans mon univers n'en ressortirait plus, qu'il serait impossible de le chasser, quoi que je puisse essayer, qu'il s'incrusterait partout, dans le moindre recoin de mes pensées, qu'il hanterait littéralement mes préoccupations, même sans que j'en aie conscience, et que nous marcherions toujours côte à côte, comme un vieux couple, condamnés à vivre ensemble jusqu'à la fin. C'était la première fois que ce truc s'approchait aussi près de moi. Je me rendais compte avec horreur que le type qui était devant mes yeux avait eu pour amant un garçon qui était mort de cette maladie, qu'il était ouvertement séropositif et que nous avions déjà eu des relations sexuelles tous les deux sans que je sois avisé de rien de tout cela. J'étais totalement paniqué. Non seulement le sida venait-il d'entrer dans ma vie, mais il se tenait devant moi, par *personne interposée, et il m'aurait suffi de tendre le bras pour pouvoir le toucher, pour le sentir présent, bien chaud et ricanant. À partir de là, j'ai su que ma vie désormais me prendrait tout mon temps. Que je ne ferais plus rien d'autre que ça, vivre ma vie. Sans concession à rien ni à personne. Que c'était la seule chose à faire. Que je ne pourrais jamais accepter l'idée de me laisser surprendre comme ça, à l'image de Thierry ou de Lou Goaco, par une fin de vie prématurée que je n'aurais pas vue venir. Je me suis dit qu'il fallait être prêt à tout instant et que, jusqu'à cette extrémité, seul mon désir allait compter, ma loi, mes aspirations, et non celles des autres. Je me suis dit que la loi des autres ne serait jamais faite pour moi, que je ne la laisserais plus devenir une entrave à mes jours et se dresser sur mon chemin, d'une manière ou d'une autre, tel un monstre furieux et menaçant. Que je ne perdrais jamais mon temps à courir après l'argent, le pouvoir ou une carrière, parce que ces choses-là ne sont rien. Que ce serait tant pis, quitte à être marginal, révolution- naire, exclu, banni, incompris. Ce serait tant pis. J'ai pensé au sens des mots « Communiste », « Juif » et « Homosexuel », et je me suis dit que c'étaient des mots merveilleux parce qu'ils désignaient les trois persécu- tions essentielles de notre monde, les trois persécutions viscérales, histo- riques, depuis la nuit des temps, les seules auxquelles on revienne sans cesse, et que, désormais, je serais les trois à la fois : Juif, Communiste et Homosexuel ; c'était la même chose. Je me suis dit qu'il n'existait pas d'autre voie que de revendiquer ça, la marginalisation totale, extrême, jusqu'au-boutiste. Qu'on ne pouvait pas vivre dans la menace d'un truc comme le sida et continuer à mener la vie des autres qui, eux, n'étaient menacés par rien du tout si ce n'est par eux-mêmes. Et tout à coup, c'était comme si j'avais trouvé la Force. La Force, en général, avec un « F » majuscule. La force de voir, de sentir et de comprendre. Et, dans le même élan, j'ai eu la révélation du sens des toiles de Lou Goaco, du sens de sa vie à lui aussi, avec ses airs terribles et ses allures provocantes, et j'avais envie de lui dire merci pour ça, merci d'être ça, justement, et je me suis mis à l'aimer pour toutes ces raisons. Malgré le reste et malgré son atti- tude envers moi, que je ne comprenais pas toujours. Alors, je me suis senti habité d'une sorte de grâce. Quelque chose qui n'avait rien à voir avec la religion mais plutôt avec le vrai sens de la vie. Oui, brusque- ment, je me suis senti terriblement à l'écoute de la vie.*

Nos deux noms sur les mêmes affiches

– J'AI TOUT FAIT, tu m'entends? Tout. Tout. Tout!
Elle arrive comme une furie dans son bel appartement aux couleurs orangées; elle arrache ses bottes, ses gants; elle frappe durement le plancher de ses talons quand elle marche et elle court se jeter sur un canapé, encore tout enroulée dans ses châles. Ses longs cheveux se répandent alentour tandis qu'elle pose une seconde à peine sa main agitée sur les coussins rebondis. Un instant, elle reste figée, pâle et silencieuse, à contempler, comme sans pensée, un agencement de carafes et de verres en cristal disposés élégamment sur un plateau de bois, puis son regard balaie l'espace, s'arrête sur chaque objet, méthodique et rapide. Défilent ainsi, selon un lent travelling en cinémascope, une poupée en chiffon qu'elle a fait elle-même, parée de dentelles et de rubans, une boîte en bois peint, une pile de disques vinyles, des bougies, des tissus froissés avec art, des livres partout, plusieurs rangées de livres qui courent à même le sol et sur les étagères. Sur les murs, des abécédaires au point de croix, des moulages en terre cuite, des masques suspendus, des cadres aussi, beaucoup de cadres, petits et gros, comme des *conversation pieces* du XVIIIe siècle anglais, tous plus sophistiqués les uns que les autres. Sur les meubles, des photos en noir et blanc, de vieux bouquets de fleurs fanées qu'elle aime laisser baigner dans une eau fétide, quelques grosses broches des années trente qui traînent en apparence négligemment, de la vaisselle dépareillée, porcelaines de Limoges, de Sarreguemines et d'Angleterre qu'elle a achetées chez les brocanteurs... Des épingles

à chapeau sont piquées dans les plis des doubles rideaux. Et elle
est là :

– J'ai tout fait! Mais c'est pas possible...

Elle se lève d'un élan puissant, manque de renverser un petit
guéridon qui s'ébranle sur son passage et d'où tombe un napperon.
Elle allume une cigarette, souffle la fumée en poussant un infini
soupir, puis se tourne vers un miroir pour poser sur son visage un
long regard, aussi dur et froid qu'un constat. Elle s'épie elle-même,
scrute ses propres réactions, fouille la profondeur de ses rides. Elle
se sent vieille tout à coup et, en même temps, elle est perdue, égarée
comme une petite fille. Elle ne sait pas encore quoi faire, ce qu'il
faut faire, comment réagir... Pleurer? Crier? Labourer ses joues
avec ses ongles? Tout casser dans la maison? Elle ne sait pas. Cela
lui semble un peu – comment dire? – excessif. Ou théâtral... Mais
n'aurait-elle pas le droit, justement, de plonger dans l'excès en cet
instant? Ne serait-ce que pour se soulager un tant soit peu... Qui
oserait le lui reprocher d'ailleurs? Pourtant, elle ne fait rien. Elle
continue à se contempler, pâle et les traits tirés, tellement fatiguée.
Pas un cil ne bouge. Elle semble sous l'effet d'une soudaine prise de
conscience qui ne susciterait en elle que détermination et lucidité.
Une lucidité claire et nette, pure, impitoyable. Rien ne vacille dans
l'éclat de ses yeux noirs. Des faits et des réalités, voici ce qui l'habite
à présent. Et puis, plus terrible encore, une prémonition, une seule,
celle que le temps est venu des lendemains qui déchantent.

À cette pensée, des frissons en rafales commencent à la parcourir
des pieds à la tête et lui glacent l'échine. Elle imagine déjà les pires
catastrophes; son corps tremble un peu, tandis qu'au fond d'elle-
même, comme sur un écran intérieur, se déroule, monstrueuse et
infinie, la liste épouvantable de tout ce qu'il faudra à présent redouter, de tout ce qui ne sera plus jamais comme avant et de tous les
périls, les dangers et les risques qui seront susceptibles de fondre sur
elle d'un jour à l'autre, peut-être même d'une minute à l'autre.

– J'ai tout fait! Et sans protection, évidemment... Tout ce qu'il
ne fallait pas. Comment pouvais-je savoir? Comment pouvais-je
prévoir? Tout fait. Avec lui. Hier encore! Et voilà qu'il m'arrive, ce
matin, avec cette bombe. Il est effondré bien sûr, mais je m'en fous,

moi, qu'il soit effondré. Il a fait sa vie, lui! Il a eu exactement la vie qu'il voulait... La scène. La gloire. Le théâtre. » Et après un silence... « Les garçons! Les rencontres fortuites dans les parcs, la nuit, et dans les coulisses des Maisons de la culture. Il a tout eu, lui, alors maintenant, il n'a plus rien à perdre! »

J'interviens.

– Tu ne peux pas dire ça, voyons!

Elle crie.

– Je peux le dire parce que lui-même le dit! » Et après une autre hésitation, comme pour récapituler le cours de ses pensées, sur un ton tremblant: « Mais moi? Moi! » Elle crie: « Est-ce qu'il a pensé à moi? »

Elle se tait. Elle a pris cet accent d'Algérie qu'elle a rapporté de là-bas et qu'elle retrouve quand elle s'emporte. « Une des seules choses qu'on a pu garder quand nous sommes partis », aime-t-elle souligner quand elle le peut, dans un demi-sourire marqué par l'amertume. « Ça, au moins, ils ne pouvaient pas nous l'enlever, n'est-ce pas? »

Et maintenant, elle lève les bras au ciel. Elle ne tient plus en place. Elle passe dans la cuisine, s'affaire à divers rangements, ouvre machinalement des portes de placards qu'elle referme aussitôt sans avoir touché à rien, plie du linge, essuie des plats, passe un chiffon sur un meuble, arrose des plantes. Ses mains, toujours, qui ne peuvent rester sans rien faire et qui font l'admiration de ses amies. Par la fenêtre, elle regarde la cour de récréation de l'école à côté de chez elle, sachant d'avance, puisque ce sont les vacances, que les enfants n'y seront pas et que ses yeux immanquablement iront se perdre, comme à la dérive, dans l'immense espace d'asphalte déserté que le vide rend plus grand encore.

Combien d'enfants a-t-elle vus courir et tomber sur ce sol rugueux? Combien, qui s'ouvraient les genoux et se relevaient en hurlant? Combien en a-t-elle vu qui faisaient ainsi leur apprentissage de la douleur malgré les nombreuses mises en garde de ceux qui voulaient leur éviter ces souffrances inutiles? Mais les invitations à la prudence, les conseils, les gens bien intentionnés qui veulent vous sauver malgré vous, tout cela ne sert à rien. Elle soupire.

– C'est comme une malédiction! Je crois que nous sommes toujours les acteurs de notre propre malheur... Déjà sur le bateau, il me l'avait dit. Sur le bateau! J'étais sur un pont à l'arrière, avec mon frère et mes parents. Germain était installé avec les siens à un autre étage. Au bout d'un moment, il avait réussi à les abandonner pour me rejoindre. » Elle prend un air stupéfait, ouvre grand les yeux. « Il voulait qu'on se quitte! Il disait qu'on n'était pas faits l'un pour l'autre. » Elle se racle la gorge. Elle hausse les épaules. « Tout autour de nous, les gens étaient terrassés! Ils pleuraient! Ils se prenaient la main ou se tombaient dans les bras. Les enfants criaient, surexcités à cause du manque de confort. » La scène lui revient en même temps qu'elle en parle, elle fronce les sourcils. « On était bousculés en permanence! Au moindre mouvement, on se heurtait contre des malles, des bagages, des sacs qui avaient été entassés sur les ponts, au dernier moment... » Elle sursaute de ce qu'elle revoit. « Avec des grues! Parce qu'on ne trouvait plus aucune place ailleurs... Les soutes, les garages, les cabines... Tout était bondé! Plein à craquer! On se sentait pressurés. Au bord de couler. On étouffait littéralement. Et par-dessus tout ça, il y avait... »

Elle hésite. Un instant, elle se tait. Elle me regarde. Elle a honte.

– Il y avait cette souffrance, qu'on n'arrivait pas toujours à contenir... Même si, par fierté, on essayait quand même, les hommes surtout, qui grimaçaient, sans s'en rendre compte, pour étouffer leurs sanglots et dissimuler leur peine. » Elle attend quelques secondes. « Ils tordaient leur visage dans des rictus affreux, à trop vouloir se contrôler, tandis que leur regard s'évadait par-delà le bord. » Puis, dans une envolée presque joyeuse et avec de grands gestes: « Au-dessus des ponts, en vagues disciplinées, des oiseaux marins tournoyaient autour de nous en poussant des cris aigus. Malgré la distance qui s'accentuait et les tenait de plus en plus dangereusement éloignés du port, ils s'obstinaient à rester avec nous, suivaient le bateau à la trace, volaient au ras des flots, piquaient dans les eaux vertes et s'arrachaient ensuite à la mer pour s'élever de nouveau vers les cieux. » Ensuite, elle me regarde. « Certains disaient que les oiseaux marins étaient comme les chiens, qu'ils avaient une sorte d'attachement et de fidélité aux gens, et qu'ils étaient capables de suivre les navires sur des distances infinies pour ne pas les perdre. Alors, on est restés longtemps à regarder les oiseaux parce que, de toute façon, en dehors de leur manège, il n'y avait rien à voir, tout comme, en dehors de leurs cris, il n'y avait rien à entendre. Tout était mort déjà. Le temps ne passait plus. On n'avait aucune idée de l'heure de la journée. Ce qu'on savait en revanche, parce qu'on pouvait le constater concrètement, c'est qu'on avançait très lentement, et que, à cause de tout ce poids qu'on avait en surcharge, la coque du navire ne faisait presque pas de vagues quand on fendait la mer! » Elle reprend son souffle. « À cette allure, le bateau a mis plus de cinq heures avant que les côtes de l'Algérie disparaissent tout à fait à l'horizon. Et pendant cinq heures, les gens sont restés sur les ponts, droits comme des « i » ou effondrés contre tout ce qu'ils pouvaient trouver d'un peu résistant. Tous sans manger. Sans boire. En plein soleil. À refuser de bouger tant qu'ils pourraient voir encore jusqu'à un infime petit bout de la terre qu'ils étaient en train de quitter. À la fin, bien sûr, leur vue a commencé à se brouiller et plusieurs se sont mis à dire qu'on ne voyait plus rien du rivage… Qu'on pouvait rentrer dans les cabines et passer à autre chose… Qu'il ne fallait plus y penser. Que cette fois, c'était fini. Et aussitôt, les plus résignés ont commencé à bouger, déjà prêts à se faire une raison. Mais d'autres s'y sont opposés. Ils protestaient. Ils n'acceptaient pas. Ils prétendaient qu'en plissant les yeux, on pouvait encore voir les hauteurs d'Alger, là-bas, dans la brume… Que c'était même très clair! Si clair, qu'on distinguait presque les maisons qu'ils venaient d'abandonner et qui leur manquaient déjà… Ces maisons basses, aux murs blancs et aux toits en terrasse, toutes si semblables les unes aux autres… Les immeubles le long des boulevards, la place du Gouvernement et toutes les petites rues. Celles de la Casba et celles du quartier européen. Ils y pensaient encore avec leurs noms de France, n'imaginant même pas que tout cela serait rebaptisé un jour. Ils disaient qu'il n'était pas question de renoncer à fixer l'horizon tant que les hauteurs d'Alger seraient encore visibles à ce point-là. Ils disaient qu'il fallait rappeler tout le monde, tous ceux qui étaient partis… Qu'il n'était pas question de s'enfermer dans les cabines ou les salons. Pas maintenant. Que c'était trop tôt… Enfin bref, personne ne s'entendait sur ce qu'on parvenait à voir ou pas. Chacun y allait de son petit commentaire et, d'avis en avis, le ton a fini par monter. Les gens se sont lancé des noms et une sorte de dispute a éclaté, comme ça, sur le pont du *Ville d'Alger*... Le dernier bateau en partance de l'ex-Algérie française! Et c'était bon cette dispute parce que, dans un certain sens, elle ramenait tout le monde à la vie... et de la vie, pourtant, il ne nous restait pas grand-chose à ce moment-là. Surtout quand on pensait à tous les nôtres qui étaient tombés là-bas, volant en éclats, sous l'explosion d'une bombe, ou atteints par des grenades. Et à ceux qui avaient été massacrés, pris dans une embuscade, faits prisonniers, torturés, puis achevés dans des conditions abominables. On était tous en état de choc... Et Germain, lui, ne voyait rien de tout ça! Les côtes d'Algérie n'avaient même pas encore disparu qu'il me cherchait partout sur les ponts avec son unique idée en tête. » Elle ouvre une sorte de parenthèse. « Il avait déjà une ardeur qui ne cesserait jamais de m'étonner. À peine m'avait-il trouvée qu'il avait aussitôt commencé à se livrer, en public, à une véritable autocritique. Comme s'il faisait son procès à voix haute. Je le revois encore... » Elle l'imite. « Il faut que je te parle. C'est important. C'est en rapport avec nous deux. Enfin voilà... Je crois, Sylvie... Je ne suis pas digne de toi. Je ne suis pas digne de toi. Je voudrais qu'on vive ensemble, c'est sûr, tu es la seule qui compte, mais je ne peux pas le faire. Je sais parfaitement que je ne pourrai pas te donner le genre de vie que tu attends. Je me sens impur, pas normal. Je le vois bien... C'est toujours la même chose. Ce sont les garçons. C'est pas réglé, tu sais. Vraiment pas. Je t'avais dit que, peut-être, ça passerait, que ce n'était que passager, mais j'ai l'impression, en réalité, que je ne pourrai jamais m'enlever ça de la tête. Ça va toujours être là, entre nous... C'est plus fort que moi! Je ne vais quand même pas faire semblant toute ma vie, juste pour te rassurer. Tu comprends? Je ne vais pas me dissimuler en permanence. Je ne peux pas... Surtout que je suis bien dans cette vie-là. Enfin, je crois. Alors j'ai peur que tu souffres et ça, je ne le veux pas. Pour rien au monde... »

Sylvie est accotée à la fenêtre de la cuisine. Son regard vient d'accrocher un vieux platane esseulé dans un coin de la cour, le seul arbre qui ait résisté, avec les années, à l'assaut perpétuel des jeux des enfants. Elle demeure un instant intriguée, comme en suspens, puis sa curiosité pour l'arbre disparaît et elle reprend aussitôt :

– J'étais furieuse. Comment pouvait-il penser à ça ? Comment pouvait-il penser à ça à ce moment-là ? Je me suis mise à crier : « On perd l'Algérie, Germain ! On ne reviendra plus. On laisse tout là-bas. Nos morts. Notre avenir. Nos succès. Nos illusions. La seule terre qu'on ait jamais connue, notre pays. Tu ne comprends pas ? On n'a même plus un toit pour dormir. On n'a plus de ressources. Plus d'emplois. Rien. Et toi, tu me parles des garçons… Non, mais c'est pas vrai ! Tu es fou ou quoi ? » Il ne m'a même pas laissé parler. « Écoute, Sylvie, c'est toi qui ne comprends pas. On perd l'Algérie, c'est vrai, mais qu'est-ce qu'on y faisait en Algérie ? Qui étions-nous ? Moitié de France et moitié d'ailleurs, ni tout à fait l'un ni tout à fait l'autre. Regarde, nous ne sommes reconnus par personne si ce n'est par nous-mêmes. Nous restons ignorés de la marche du monde qui se fout totalement de ce que nous vivons aujourd'hui. Il existe même des gens qui ont honte de ce que nous avons fait et qui ont honte de nous. De la torture instaurée en principe. De notre aveuglement qui nous poussait à ne pas renoncer. À nous durcir au lieu de négocier. Partout on nous voit comme des bourreaux qui n'ont pensé qu'à soumettre des populations qui ne nous avaient rien demandé. Même moi, j'ai l'impression de faire partie des bour-reaux, de faire partie des derniers survivants d'une race maudite de colonisateurs, outils privilégiés d'un capitalisme triomphant, prêts à tout pour maintenir un pouvoir que plus personne ne pouvait jus-tifier. Plus personne, tu m'entends ? Même nous, on n'y arrivait plus ! » Il récitait tout ça avec la conviction d'un discours préparé depuis longtemps, qui l'étouffait et ne demandait qu'à sortir enfin. « Donne-moi une raison pour justifier notre présence là-bas, une seule ! Donne-m'en une ! À part le plaisir, notre plaisir, et notre nos-talgie, notre attachement… Mais l'attachement, ça ne compte pas aux yeux du monde… » Et puis, un ton plus bas, Germain avait ajouté : « Bien sûr qu'on a aimé cette vie, cette terre, ces gens, et sincèrement en plus, mais il faut l'admettre aujourd'hui, là-bas, on ne nous supportait plus. Nous n'étions que de passage. C'est l'histoire qui veut ça. »

Sylvie détourne la tête de la cour de récréation, elle me regarde.

– Quand j'entendais Germain parler comme ça, j'étais pleine de reproches et d'amertume envers lui. Je me disais qu'il pouvait penser ce qu'il voulait, mais je n'arrivais pas à accepter sa résignation, cette absence de douleur dans ses propos, surtout par égard à tous ceux qui nous entouraient et qui étaient littéralement dévastés. Pourtant, au fond de moi, je n'étais pas toujours sûre de tenir tant que ça à l'Algérie. J'avais déjà visité la France plusieurs fois, la France du Nord, la Bretagne notamment, où vivait ma grand-mère… Je me sentais des racines là-bas. J'avais grandi en Afrique du Nord avec, même très jeune, le vague pressentiment qu'il faudrait partir un jour, que tout cela ne pouvait être que provisoire, comme l'enfance, ou un rêve de beauté. Mais de là à partir si facilement… Il exagérait! J'ai réagi comme j'ai pu. J'ai été injuste. Je l'ai accusé de choses qui n'étaient probablement pas vraies. Mais je voulais qu'il pense un peu aux autres. Pour une fois… J'avais l'impression d'être la seule à pouvoir lui tenir tête… Je me suis mise en face de lui, je l'ai regardé droit dans les yeux avec un air sévère et j'ai laissé libre cours à ma rage… « On peut dire que tu changes rapidement de point de vue, en tout cas! Tu as l'air de t'être parfaitement habitué à ta nouvelle situation, bravo! Ton nouveau statut te plaît! Est-ce que tu te rends seulement compte que les corps de ceux qui sont morts là-bas pour sauver cette terre et pour la garder nôtre ne sont pas encore tout à fait refroidis, que toi, déjà, tu sous-entends qu'ils seraient morts pour rien? Et que ce dont tu parles si aisément au passé, avec tant de distance, tant de recul et de belles théories politiques, est en fait un drame actuel pour la majorité des gens qui nous entourent? Un drame vivant, cruel? » Germain ne désarmait pas. « Ouvre les yeux, Sylvie. Regarde autour de toi. Nous sommes deux siècles en retard sur les Français de métropole et, d'une certaine façon, tout aussi en retard sur les Arabes que nous venons de quitter! Et ces deux siècles-là, ce sont les deux cents et quelques années de notre présence en Algérie. Nous sommes un peuple sans culture. Nous sommes les plus vulgaires, les plus stupides et les plus gueulards de la Méditerranée! Nous avons vécu tout ce temps repliés sur nous-mêmes, sans aucune ouverture, aucune réflexion, aucun questionnement. Nous avons vécu avec pour seul guide notre unique volonté d'imposer une identité française qui était faussée par l'éloignement et dont plus personne ne voulait. » Et puis, il a lâché sur un ton dégoûté: « C'était décadent... »

Sylvie baisse la tête, un peu gênée.

– J'étais sûre qu'il allait se faire casser la figure s'il continuait sur cette lancée. Je le lui ai dit: « Vas-y, continue! Crie-le plus fort! Ce n'est vraiment pas le moment, je t'assure. Tu insultes tous les gens qui sont ici... » Mais il était trop tard. Il était emporté par son élan, son incorrigible fougue. Il était devenu intarissable et les regards noirs qu'on lui lançait de partout ne l'effrayaient pas le moins du monde. Il n'avait plus peur de rien. « Algérie française, Algérie française! C'est tout ce qu'on savait dire. Je suis désolé mais j'ai dix-huit ans et l'Algérie ce n'est pas ma vie. Ma vie, aujourd'hui, c'est toi... Et c'est le théâtre... Et c'est la métropole où tout peut arriver. Est-ce que tu sais seulement ce qui nous attend là-bas? La métropole, c'est l'agitation... les courants de pensée... les gens en mouvement... l'ouverture d'esprit... C'est les arts! Les musées! Les théâtres! L'opéra! La musique! Les livres... Et, toi, tu me parles de l'Algérie, de ce petit département coupé de tout? Non, vraiment, là-dessus, je ne te suis pas. »

Sylvie soupire.

– Germain! Il ne comprenait pas que si lui, là-bas, s'était trouvé coupé de la vraie vie et de ses aspirations personnelles, il n'en allait pas forcément de même pour tout le monde. Il ne parvenait absolument pas à concevoir que, pour certains, cette vie algérienne s'était avérée pleine et satisfaisante, malgré ses limites. D'ailleurs, quelle vie n'a pas ses limites? Quel que soit son contexte... Je le regardais, tout énervé, qui soufflait fort, et il me faisait presque rire. Alors, j'ai renoncé à essayer de le convaincre de quoi que ce soit. Je l'ai écouté, c'est tout. Malgré moi, j'étais sous le charme. Comme toujours. Il était tellement différent, enthousiaste, idéaliste... Il me semblait tellement audacieux... Ce que je n'étais pas, moi! Oh, non! Moi, j'étais plutôt une jeune fille de bonne famille, une *jolie fille d'Alger*, comme on disait. C'est pourquoi, secrètement, j'admirais et je désirais Germain malgré tout ce qu'il pouvait représenter d'insécurité pour quelqu'un comme moi et même si j'en désirais plusieurs autres en même temps que lui. Mais ça, c'est une autre histoire… » Elle s'insurge. « Comment peut-on quitter quelqu'un qui tient de tels discours ? Germain avait beau me paraître un peu tourmenté, c'est vrai, et parfois même un peu difficile à comprendre, je n'en étais pas moins follement éprise, déjà entièrement tombée dans ses filets, comme dans un piège… J'étais séduite. Conquise. Et plus encore que je ne pouvais me l'imaginer à cette époque. » Elle tord ses mains dans un geste nerveux. « J'aurais bien aimé lui dire que la métropole, ce serait surtout les camps de rapatriement pour les *Français d'Algérie*, comme on disait quand on ne voulait pas dire les pieds-noirs… Que ce serait le froid et la vie dans le nord… L'isolement, un certain mépris… Je le savais, moi! J'étais la seule de notre groupe, avec mon frère Jacques, à être déjà allée en métropole. Je leur avais dit comment c'était! Mais on ne me croyait pas. Moi, je savais très bien ce que ça signifiait être pied-noir à cette époque. On nous considérait comme des étrangers, des sang-mêlé, en partie Arabes, en partie Juifs et en partie Espagnols! Des voleurs d'emplois, des voleurs de pain! On nous regardait d'un sale œil, exactement comme des immigrés polonais ou italiens… Et je nous voyais sur nos bateaux, prêts à débarquer d'un coup! Par milliers! J'avais une conscience très claire de ce que cela allait donner. Des assistés! Des familles entières dépendantes de je ne sais quelles subventions ou de je ne sais quels programmes de soutien qui allaient être votés à la hâte, par l'administration de Gaulle, et qui mettraient des années avant de nous parvenir et de devenir réalité. Pour la majorité d'entre nous, c'était sûr, la métropole ne serait ni plus ni moins qu'une nouvelle précarité financière, sociale, affective… Nous allions être ballottés entre l'assistance des uns et le rejet des autres, les plus nombreux, qui allaient se moquer de nos manières, de notre accent et de notre façon de parler… Nous allions vivre en état de coma, condamnés à nous souvenir jusqu'à notre mort d'un passé à jamais disparu, d'un passé idéalisé que nous allions nous mettre à chérir plus que tout, de façon disproportionnée, jusqu'à refuser sans nous en rendre compte d'investir dans une nouvelle réalité. Je nous voyais déjà dériver dans une sorte de nostalgie intérieure, immense et incurable, et passer nos soirées à parler du bon vieux temps, le visage inondé de larmes, en contemplant des photos, assis en rond, tout en buvant du thé à la menthe, comme on le faisait là-bas. Ça me faisait pitié. Et puis, je voyais aussi surgir les déconvenues, je voyais se multiplier les plaintes, les protestations inutiles et, quand j'y pense aujourd'hui, je me rends compte que je ne m'étais pas trompée de beaucoup... Quant à Germain, lui, il parlait à travers ses rêves. J'aurais bien aimé lui dire que ce qui nous attendait, au bout du compte, me semblait un recul bien pire que tous les retards culturels dont il me parlait, mais je n'en étais plus capable. Je n'ai jamais pu me résigner à ternir ses rêves. Et puis, pour une fois que j'avais rencontré – et là-bas en plus! – un garçon qui avait des idées, des aspirations et une certaine culture... Je n'allais pas le détruire! L'entraver dans sa démarche! Germain me changeait tellement des autres... Des copains de mon frère et de tous ceux qu'on m'avait présentés jusqu'alors. C'est pourquoi, au fond, je m'en moquais pas mal, moi, de son amour des garçons... et de ses prétendus sentiments impurs! Même si c'est à cause de ça, quand même, que nous n'avons jamais véritablement vécu ensemble. Moi, j'avais lu Cocteau, Genet, Éric Jourdan, dont les premiers livres avaient été interdits et qu'on se disputait sous le manteau. En douce! Je parlais politique et révolution pendant des heures. J'étais à l'aise là-dedans... Nous étions déjà dans ces années qui allaient nous mener à Mai 68. Germain était de tous les combats et je le suivais. Il était mon guide. C'est pourquoi nous nous sommes mariés. Malgré nos peurs et la présence de ces garçons entre nous. Des garçons que je ne voyais jamais et qui auraient aussi bien pu demeurer des fantômes pour moi, des abstractions sans poids et sans conséquences. J'ignorais les détails de cette vie que Germain menait sous d'autres cieux et s'il n'avait pas tenu à mettre les choses au clair, une bonne fois pour toutes, j'aurais presque pu penser que tout cela n'existait pas. Alors voilà... Nous nous sommes mariés. Comment faire autrement? À cette époque, de toute façon, tout nous ramenait au mariage, toujours, toutes les histoires, toutes les rencontres, amour ou pas amour, c'était comme un fleuve qui coulait inéluctablement vers la mer, impossible à remonter. On en venait toujours à ça. À un moment ou à un autre. Au mariage. Surtout dans le Sud. Et puis moi, au fond, ça m'était égal. Je n'étais pas encore majeure et j'avais déjà décidé depuis longtemps de prendre les choses les unes après les autres, sans trop m'attarder, au fur et à mesure qu'elles se présenteraient… La guerre m'avait au moins appris cela. Un jour à la fois. Et ce qui me préoccupait le plus à ce moment-là était dans mon ventre ; j'allais l'appeler Julien et il bougeait déjà ! »

Sylvie relève son visage. Elle affiche un petit air nostalgique, presque un sourire. Puis, elle quitte la cuisine et passe dans la chambre de Julien, qu'elle a élevé seule. Où est-il passé encore ? C'est lui maintenant qui a presque dix-huit ans et, en lui, je sais qu'elle désespère de ne rien retrouver de ce qui faisait la fougue de son père au même âge. Julien semble un garçon ordinaire avec les goûts ordinaires des garçons d'aujourd'hui. Comme les autres, il est fasciné par une culture télévisuelle sans profondeur, il s'est habitué à une violence outrancière que toute mère réprouverait, et il n'a d'intérêt que pour les gadgets explosifs que les productions américaines exhibent en permanence sur tous les écrans du monde. Les murs de sa chambre sont couverts de fétiches bizarres qui vont du masque d'horreur en plastique au modèle réduit d'avion chasseur. Au-dessus de la porte pend un petit drapeau des États-Unis. Près de son lit traîne une paire de longs lacets en cuir noir qu'il s'enroule parfois autour du cou pour rappeler on ne sait quel personnage de western. Sous la fenêtre, une planche court sur le calorifère. Une bonne dizaine de couteaux à cran d'arrêt sont exposés là, soigneusement ordonnés en partant du plus petit jusqu'au plus grand. Au bout de la planche, des munitions pour armes automatiques. C'est la pièce la plus déprimante de l'appartement. Une adolescence classique. Sylvie passe la main sur le couvre-lit pour effacer deux ou trois plis, puis se décide à sortir. Elle ne trouve rien à son goût ici. Mais elle n'est pas inquiète. Pour Julien aussi elle sait que les choses viendront en leur temps, qu'il suffit d'attendre. Elle a pour lui l'indulgence de l'amour confiant. Un jour, tout cela cédera la place à l'artiste qu'elle sent naître en son fils.

Une fois dans le couloir, elle reprend, songeuse.

– Comme le port de Marseille était saturé, à cause de tous les navires qui arrivaient en même temps en provenance d'Algérie, nous avons été détournés vers Sète où nous sommes arrivés après deux bonnes journées de mer. Deux journées de mer ! Et quelques semaines plus tard, nous étions à Paris ! Germain courait comme un fou et s'est tout de suite investi à cent pour cent dans... » Elle semble embarrassée. Hésite à nommer certaines choses. « Disons, dans le théâtre ! Puis, Julien est né. Un moment, nous avons pensé l'appeler Sylvain parce que c'était exactement la rencontre de la moitié du prénom de son père et de la moitié du mien. Mais c'était plus une blague qu'autre chose et, finalement, nous avons choisi Julien. Voilà... Il est né là-bas, en banlieue parisienne, et à peine étions-nous installés à Villiers-le-Bel, dans un petit appartement qu'on avait eu un mal fou à trouver, que très vite, exactement comme je l'avais redouté, Germain a commencé à déchanter face à ce qu'il venait de trouver. Il s'est mis à cultiver une sorte d'immense désillusion au sujet de la France. Il critiquait tout. Il n'était pas heureux. La France, disait-il, ne s'était pas révélée le pays qu'il avait escompté. Ses rêves lui avaient montré des possibilités infinies, mais dans les faits, les horizons étaient bouchés, les perspectives, limitées. Tout semblait saturé, figé par des siècles et des siècles de privilèges institutionnalisés, jalousement légués à quelques familles élues, de génération en génération. Quelle différence entre la France des livres, celle de l'histoire et des traditions, qu'il avait cru deviner, et celle qu'il avait soudain sous les yeux, dans la réalité du quotidien. Quel écart... Il n'avait rien connu de tout ça en Algérie. Là-bas, même s'il ne l'avait pas véritablement voulu, et encore moins provoqué, et même s'il avait le sentiment de ne jamais en avoir abusé, c'était lui qui jouissait des privilèges et des avantages du pouvoir. En aucune manière, il n'avait eu à s'interroger sur la légitimité des choses, il était du bon côté. Mais à Paris, du jour au lendemain, il s'était senti dépossédé, sans recours ni repères. Son orgueil était

atteint. Il ne voulait plus rien savoir. Quelques mois à peine avaient
suffi et il cherchait déjà à repartir, sans même avoir jamais véritablement défait ses valises. Partir! Mais pour aller où? C'est alors
qu'il a parlé de Montréal. Il connaissait une troupe de théâtre qui
avait fait une tournée là-bas – ça arrivait souvent à cette époque –
et plusieurs des membres de la compagnie avaient choisi de ne pas
revenir, séduits par l'immensité des possibles. Un pays neuf!
L'Amérique en français! Pourquoi pas? Et puis, disait Germain,
tant qu'à se sentir étranger, autant l'être pour de bon. C'est comme
ça qu'on s'est retrouvés un beau matin à passer les formalités d'immigration à l'aéroport de Dorval, tous les trois avec nos malles et
nos valises. Encore une fois! À ce moment-là, on s'imaginait être les
seuls parmi les anciens d'Algérie à avoir pensé au Québec. On savait
que la majorité des nôtres s'étaient installés dans le Sud de la
France, quelques-uns en Corse et beaucoup en Provence, ou vers
Toulouse. Alors, le Québec, on se disait que ça nous couperait vraiment de tout, de notre histoire et de ce passé qui nous pesait. Et
puis, on s'est vite rendu compte que ce n'était pas le cas. Des
familles entières de pieds-noirs avaient eu la même idée que nous.
Certaines étaient même arrivées depuis plusieurs mois déjà, des
parents et grands-parents, en passant par les oncles et les cousins. Il
y en avait du monde, finalement, au bureau de l'immigration, sage-
ment assis en longues files compactes sous le drapeau du Canada. Il
y avait des Juifs aussi, beaucoup de Juifs, originaires du Maroc
notamment, et quand je les ai vus, je m'en souviens encore, je me
suis dit qu'on était tous pareils. Des frères d'immigration. Tous
dans le même bateau, sans privilège ni classe sociale. Soudain, j'ai
pris conscience qu'on était des milliers comme ça, sur la planète, à
se chercher un pays, tous au même moment, tous à égalité, et que
bien d'autres que nous avaient dû partir de là où ils vivaient, qu'il
n'y avait pas de honte à cela, qu'on n'y était pour rien, et de savoir
qu'ils avaient été entraînés dans le même maudit tourbillon que
nous, je ne sais pas pourquoi, ça m'a fait du bien. Nous n'étions
plus seuls… Par la suite, les choses se sont organisées tranquillement et, très vite, Germain a recommencé à vivre exactement de la
même façon qu'à Paris, sujet aux mêmes désirs et aux mêmes

errances. Le théâtre, les sorties, les rencontres la nuit, les garçons... Je me suis occupée de Julien toute seule. Nous vivions tous les deux, lui et moi. Il a grandi Québécois. » Un instant, elle songe au chemin parcouru, mesure sa réussite, ce dont elle est fière. Puis revient au récit. « Quant à son père, il n'était ni tout à fait là ni tout à fait absent. J'aimais bien, d'ailleurs, cette sorte de distance qui s'était établie entre nous. Ne pas me sentir trop liée, trop dépendante. Il faut dire que c'était dans l'air du temps... Ça faisait partie de nos "revendications", à nous, qui allions faire Mai 68. Parfois, je feignais l'indifférence, juste pour jouer. Je m'en souviens. Je disais à Germain que je ne l'aimais plus. Qu'il avait raison. Que notre vie était impossible. Qu'on n'arriverait à rien. Qu'on devait se quitter. Je disais que j'avais rencontré quelqu'un d'autre, et quelqu'un de normal cette fois... J'appuyais exprès sur *normal*, je marquais un temps entre les deux syllabes, j'étais méchante...! Juste comme ça! Pour provoquer sa jalousie. Je le savais tourmenté, d'une nature romantique... Ça m'amusait. Il réagissait toujours! Et il mettait tellement d'émotion dans ses réactions que ça me rassurait. Ça me permettait de savoir où il en était par rapport à moi et, par la suite, de savoir où il en était par rapport à son fils, à notre fils... À mes yeux, tous ces petits jeux étaient nécessaires. C'était un moyen de vérifier qu'on était toujours là l'un pour l'autre, même si on ne partageait pas vraiment le même quotidien. De toute façon, Germain n'était pas du genre à supporter quelqu'un dans ses pattes. Oh, non! Loin de là! L'amour, avec lui, c'était un peu du temps partiel, et c'était à prendre ou à laisser. Je m'y étais habituée. D'un jour à l'autre, je ne savais jamais de quoi serait fait mon lendemain. C'était comme ça. Un matin, Germain rencontrait quelqu'un, un gars ou une fille, et il pouvait disparaître aussitôt sans donner de nouvelles. Ça durait ce que ça durait. Je pleurais un peu. J'essayais de penser à autre chose. Il revenait toujours... »

Sylvie sourit. Elle entre à nouveau au salon, se penche vers la pile de disques pour mettre de la musique. Le *Requiem* de Fauré, les *Kindertotenlieder* de Mahler chantés par Kathleen Ferrier. Rien de très gai, décidément. Elle s'abstient. Sans y penser, elle allume des bougies, des bâtons d'encens. Toujours ses mains qu'il faut occuper.

Elle quitte la pièce, s'attarde dans le couloir. Des affiches de spectacles, de toutes les tailles et de toutes les couleurs, tapissent les murs. Elle les regarde longuement.

— Finalement, c'est le théâtre qui nous a toujours ramenés l'un vers l'autre. Même si on provoquait des crises qui risquaient chaque fois de nous séparer, qui auraient dû, qui auraient pu le faire, le théâtre restait notre lieu de ralliement. Germain travaillait beaucoup. Il écrivait ses propres pièces et il arrivait souvent qu'il se mette lui-même en scène. L'expérience de nos vies nourrissait ses spectacles et je me retrouvais au cœur de ses productions sans le vouloir et sans même avoir été consultée. Comme dans un prolongement naturel de nous-mêmes. Il me demandait de faire les décors et les costumes de ses pièces, et j'acceptais parce que c'était lui. Il aimait mon travail, mon goût, mes audaces... Je restais derrière ma machine à coudre des heures entières, je dessinais la scénographie, j'y passais mes fins de semaine. J'aimais ça! Quand arrivait le soir de la première, je contemplais longuement nos deux noms sur les mêmes affiches. C'était mon plus grand plaisir. Lui en haut, moi en bas... Un peu à droite, un peu à gauche... Nous n'étions jamais tout à fait ensemble, mais nous étions là quand même, tous les deux, Sylvie, Germain, toujours associés, et en quelque sorte, c'était un peu comme dans notre vie...

Un autobus passe dans la rue. On entend le bruit des freins lorsqu'il s'immobilise à son arrêt, très près des fenêtres ouvertes. Des rideaux d'un jaune ardent encadrent la lumière pâle qui pénètre de l'extérieur. Sylvie tourne la tête un instant, puis la ramène vers les affiches.

— Tout ça pour en arriver là! Il est venu me voir ce matin, complètement effondré. Depuis quelques jours, il est très fatigué. Il panique... Il a transporté des caisses et des caisses de livres, la semaine dernière, pour aider un ami à déménager, et il a passé toute la journée à monter et à descendre des centaines de marches d'un escalier à un autre... Comme s'il avait besoin de ça! Aujourd'hui, il dit qu'il n'arrive plus à récupérer. Et puis, il a des aphtes dans la bouche. Partout. Qui ne veulent pas partir. Il a essayé plusieurs traitements qui n'ont rien donné et c'est comme s'il venait de tout comprendre d'un seul coup. Comme si ça lui était brusquement tombé sur la tête. Ce n'est que ce matin, m'a-t-il dit, qu'il s'est rendu compte de la gravité de son état. Qu'il s'est rendu compte qu'il pouvait être malade d'un jour à l'autre. Et ce matin, seulement, qu'il a pris conscience qu'il ne voulait rien me transmettre, qu'il existait un risque et qu'il fallait qu'il me mette au courant! Depuis le temps que nous faisons l'amour ensemble...

Je demande:

— Mais à quoi a-t-il pensé jusqu'à présent?

Elle répond:

— Jusqu'à présent? Je ne sais pas, moi! Il prétend qu'à l'hôpital, on l'a entretenu dans une sorte de flou artistique... pendant des mois. Qu'on ne lui a pas dit la vérité tout de suite, et que les tests et les examens se sont succédé pendant une éternité avant que le verdict finisse par tomber. Tu sais, certains médecins hésitent encore longtemps avant de se prononcer. Ils ménagent leurs patients. Eux-mêmes sont gênés de ce qu'ils ont à leur annoncer et ils marchent sur des œufs le moment venu. Quand j'y pense! Tu te rends compte des risques qu'on a pris... Je ne savais rien. Rien du tout. Une telle éventualité ne m'avait jamais traversé l'esprit. Le sida m'avait toujours paru une réalité très lointaine, un sujet de reportage pour les magazines, voilà tout. Quelque chose dont on parlait aux nouvelles, à la télévision et à la radio, mais qui ne nous concernait pas, comme l'Algérie pour ceux qui n'y vivaient pas. Et j'imagine qu'il en allait de même pour Germain. Enfin, je ne sais pas. Ensuite, il a fallu que la nouvelle chemine en lui, qu'il se fasse à l'idée... et qu'il accepte, finalement, ce qu'il venait d'apprendre. Ce n'est pas évident, tu sais. Il ne sait même pas quand il a attrapé ça, et encore moins avec qui. Ce n'est qu'après, m'a-t-il dit, qu'il a trouvé le courage de m'en parler... Et seulement parce que ma vie était également menacée! Sinon... il n'en aurait jamais dit un mot! D'après lui, c'est le genre de chose qu'on porte en soi et qu'il vaut mieux apprendre à taire.

Elle soupire. Elle retourne au salon. Ses talons claquent sans écho sur le plancher en bois. Elle s'assied, saisit une cigarette et un briquet sur une petite table basse. Face à elle, la photo d'un jeune

garçon aux grands yeux noirs, le regard fixe, perdu, l'air à la fois
sérieux et rêveur, mélancolique, une carte de France en arrière-plan.

– C'est Germain, confie-t-elle. Il a dix ans là-dessus. Dans le
temps, dans les écoles, on photographiait les élèves devant d'immenses cartes de France, même en Algérie… On le reconnaît bien,
n'est-ce pas? Et puis son fils lui ressemble tellement…

Je m'aperçois que sa voix tremble un peu. Un instant, j'ai peur
que la colère surgisse en elle et la submerge irrémédiablement. Je
me fais la réflexion que je dois parler au plus vite. La forcer à continuer. Je reviens à Germain. Je demande ce qu'en pensent les
médecins. Elle hausse les épaules dans un geste de dédain. Elle
répond que les médecins sont toujours rassurants. Surtout quand
c'est grave. Elle ajoute:

– Ils m'ont répondu que, dans sa situation, tout est normal.
Mais qu'est-ce que ça veut dire « normal » pour un médecin? Ils
s'imaginent peut-être qu'ils peuvent me rassurer avec un mot aussi
misérable. Et qu'est-ce que ça veut dire « dans sa situation »? Je dois
m'attendre à quoi, exactement? Je me suis toujours méfiée de ce
que racontent les médecins. Pour eux, une maladie est forcément
normale du moment qu'elle suit son cours. Ce n'est pas la fin qu'ils
regardent, mais la logique de l'évolution. Au bout du compte, ils
nous laissent souvent seuls, abandonnés, du côté de la peur. Quant
à eux, ils vivent sur d'autres rivages.

Je songe alors à cette rumeur qu'on entend parfois et qui prétend que si le virus ne s'est pas déclaré dans les cinq ans, c'est qu'il
ne se déclarera jamais. Je calcule que Germain a peut-être déjà passé
un an, qu'il n'en reste que quatre. Et qu'est-ce que c'est quatre ans
dans une vie? J'ai bien conscience d'énoncer une sorte de bêtise, de
phrase creuse et sans consistance, mais je le fais quand même. Je
déclare:

– Il faut tenir!

Elle allume sa cigarette. Souffle la fumée longuement en faisant
du bruit. Se cale bien au fond de son canapé, le bras tendu, pour
éloigner d'elle les volutes argentées. Elle penche la tête vers le sol,
songeuse. Éperdue. Elle répète « Tenir! » comme sans en saisir le sens.
Elle relève la tête. Elle ne me regarde pas. Elle semble plus calme.

Je lui demande ce qu'elle va faire maintenant. Elle répond :

— Je n'ai pas le choix ! J'irai passer le test demain. Je veux savoir pour moi. J'ai déjà pris rendez-vous dans un service spécialisé. Celui où Germain se fait suivre. Comme ils le connaissent déjà, ça peut aider un peu…

Et puis, soudain, un bruit. Elle n'a pas le temps d'en dire plus. Elle sursaute, se redresse, à l'affût. À côté, la porte s'ouvre et claque tout aussitôt, on la dirait juste derrière nous. Des pas dans le couloir. Qui se rapprochent. Un mot qui retentit presque comme un cri.

— M'an ?

En une seconde, Sylvie n'est plus la même. L'air semble s'animer autour d'elle. Son visage se recompose et la lumière, d'un éclair, fait briller ses yeux noirs. Elle est de nouveau la jolie fille d'Alger qu'elle ne peut cesser d'être. Elle passe une main dans ses cheveux, me regarde, empressée.

— C'est Julien ! souffle-t-elle.

Elle se dirige vers l'entrée d'un pas alerte. Rajuste sa robe sur ses hanches. Dans son dos, les effluves d'une eau de toilette printanière me confirment que je ne rêve pas, qu'elle vient de jaillir de la pièce.

— On est là ! lance-t-elle en direction de son fils.

Est-il possible que j'entende de la joie dans sa réponse ? Voici que sa voix aussi est méconnaissable. Son ton a retrouvé l'assurance que je lui ai toujours connue. Elle est ressuscitée, rendue à sa vie. Tout entière tournée vers son fils. Elle est comme avant, comme toujours. Il ne s'est rien passé.

De tant de luttes engagées

Daniel Boudinet est mort depuis plusieurs années et je ne le savais même pas. Ce n'est que pendant mon dernier séjour à Paris que je l'ai compris. Je me suis d'abord étonné de ce que le ministère de la Culture lui consacre déjà une rétrospective au Palais de Tokyo. Je me suis renseigné. Le grand photographe français n'est plus.

Je suis allé voir l'exposition.

On y trouvait toutes ses photos d'Inde, d'Italie, de New York, ses clichés nocturnes de Paris et de Rome, l'intérieur des théâtres et des hôtels des grandes villes d'eau françaises, ses portraits de comédiens et de metteurs en scène. J'ai parcouru des yeux tous les murs de la salle, espérant retrouver ces clichés qu'il m'avait montrés chez lui, si peu de temps auparavant. Ils n'y étaient pas.

Daniel Boudinet a laissé plus de quatre-vingt-trois mille photos, que sa famille a léguées aussitôt à la Fondation de France. Bien sûr, j'avais conscience qu'elles ne pouvaient toutes être présentées ici, mais quand même, j'ai été déçu. On ne montrait, comme toujours, que les plus célèbres. Celles qui étaient les plus susceptibles de marquer le grand public. Néanmoins, devant les photos, tous mes souvenirs sont revenus à ma mémoire.

J'avais été présenté à Daniel Boudinet en 1988, à peine quelques mois avant de quitter la France pour émigrer au Québec. À cette époque, je dirigeais la revue *Nyx*, une publication consacrée à la nouvelle et au texte court, et nous étions en train de préparer un nouveau numéro qui devait accorder une large place à Yves

Navarre, plus précisément au *Bureau des enfants perdus*, un texte en vers libres de plusieurs dizaines de pages, première publication poétique du prix Goncourt 1980. À cette occasion, Yves Navarre avait demandé s'il pouvait inviter certains de ses amis à collaborer avec lui à ce numéro, comme pour donner au texte un environnement proche de celui qui était le sien dans la vie. L'écrivain proposait entre autres que le peintre grec Alekos Fassianos signe les illustrations, tandis que Daniel Boudinet, photographe français, fournirait la photo de la couverture. L'ensemble composerait une sorte d'écrin dans lequel reposerait le texte, et il fut entendu de procéder ainsi. Yves Navarre promit de téléphoner à Alekos Fassianos, en Grèce, afin de solliciter son accord, et pour la photo, il fut décidé qu'Yves et moi n'aurions qu'à passer chez Daniel Boudinet pour choisir, dans ses archives, un cliché qui répondrait à la fois aux goûts de chacun et aux exigences de notre mise en page.

Quelques jours plus tard, nous nous sommes rendus chez Daniel Boudinet en taxi. Je me souviens que c'était en taxi parce qu'à Paris, des taxis, je n'en avais pratiquement jamais pris. Ils sont si rares, tellement pris d'assaut et tellement sélectifs au sujet des courses qu'ils acceptent de faire que c'était une sorte d'événement pour moi. En chemin nous avons parlé de Tony Duvert, des romans de Tony Duvert, que j'aimais. J'étais sûr qu'Yves Navarre aussi devait aimer ces livres, cela me semblait évident, comme quelque chose qui coule de source, au nom d'une certaine solidarité peut-être, d'une communion de l'esprit et des goûts, mais au lieu de cela, Yves n'a rien dit sur l'œuvre et il n'a parlé que de l'auteur, du personnage qu'était Tony Duvert. Il a dit, en me regardant bien droit dans les yeux et en faisant des efforts pour articuler, il a dit qu'il n'aimait *pas* les pédophiles, en accentuant le « pas », et que Tony Duvert était un *pédé*, et qu'il faisait du tort. Puis le taxi est arrivé, mettant un terme à notre entretien.

Daniel Boudinet habitait quelque part dans le XIIᵉ arrondissement – j'ai oublié où – un appartement pas très grand avec une entrée obscure, une chambre noire, une pièce principale encombrée de matériel de photo et au moins une fenêtre qui donnait sur les toits. Il nous a fait entrer, puis Daniel et moi nous sommes assis sur des coussins bas, un divan, ou quelque chose comme ça, tandis qu'Yves prenait le fauteuil le plus confortable, en face de nous. Quelles que soient les occasions, les gens se disposaient toujours autour d'Yves Navarre de manière à lui donner la meilleure place et, plus encore, de façon à ce qu'il puisse trôner devant les autres. Il était difficile de dire exactement si c'était lui ou les autres qui le voulaient ainsi. Nous trouvions tous naturel de le placer en évidence en toutes circonstances, et il ne lui prenait jamais la fantaisie d'exiger qu'il en aille autrement. Je me souviens d'un repas à Montréal, rue Sainte-Famille, qui avait réuni une bonne quinzaine de convives, tous alignés à droite et à gauche de leur hôte, tandis que l'impressionnant personnage présidait seul, à une extrémité de la table. En sa présence, la répartition de l'espace ressemblait toujours à celle d'une cour devant son monarque, ou de disciples devant leur maître. Yves Navarre avait conscience de son rang, de son statut d'auteur, de sa célébrité et du pouvoir qu'il exerçait sur nous tous. Les yeux s'ouvraient tout grands sur son passage et il savait qu'il laissait toujours derrière lui un sillage d'admiration. Lui seul donnait le ton des conversations et répartissait le tour de parole de chacun, et autant reconnaître que, face à lui, nous n'existions pas. Les artistes les plus en vogue, les personnalités les plus affirmées, les admirateurs les plus convaincus, tous s'effaçaient devant lui et se soumettaient à sa loi sans que nul n'ose jamais remettre en question ce protocole tacite qui s'était instauré. Yves savait susciter chez ceux qui l'entouraient une sorte de sentiment mêlé de pitié, d'attendrissement et de soumission, qu'il faisait naître dès qu'il ouvrait la bouche, dont il savait jouer parfaitement et qu'il entretenait avec soin. Ainsi, pour ne pas déranger cet ordre établi, mieux valait savoir se glisser dans le rôle de simple faire-valoir que de prendre le risque d'être invité à quitter la scène.

Physiquement, Daniel Boudinet ne ressemblait pas à ce que j'avais imaginé. C'était un gars du midi, costaud, d'une quarantaine d'années, à la peau et aux yeux sombres, avec des traits marqués qui lui donnaient l'apparence d'un être vieilli prématurément. Il offrait à la vue un visage gris sur lequel, même lorsqu'il était rasé, on devinait l'emprise d'une barbe forte, foncée et drue.

Nous avons bu du café, puis, très vite, Daniel Boudinet nous a invités à le suivre dans la pièce à côté. Il a sorti ses albums à spirale, ses photos, ses diapos qu'il manipulait avec la délicatesse amoureuse et maniaque d'un collectionneur de timbres. Il craignait les rayures comme la peste et nous mit aussitôt en garde contre elles, sur un ton un peu perché et déjà affolé. Je me souviens que ce soin particulier qu'il mettait dans chacun de ses gestes, dès qu'il s'agissait de toucher une photo, m'avait un peu agacé. J'y voyais un maniérisme outrancier qui n'avait pour seul but que de reléguer les visiteurs au rang de simples amateurs ignorants. Mais Yves Navarre, lui, jouait le jeu parfaitement et faisait celui qui savait déjà comment s'y prendre et qui était initié depuis longtemps. Il aimait se vanter à qui voulait l'entendre qu'il était à l'origine de la carrière de Daniel Boudinet, au moins vingt ans plus tôt, et que c'était lui qui lui avait offert son premier appareil photo, dans des circonstances sur lesquelles il ne s'attardait jamais. Dès lors, je me suis retrouvé seul à tenir le rôle du gros balourd qui débarque avec ses gestes maladroits dans un magasin de porcelaine. Je ne savais absolument rien, ni de l'attention obsessionnelle qu'un professionnel accorde à ses clichés ni de cette nécessité d'en observer le grain avec une sorte de loupe, qu'on appelle un compte-fils, et dont il faut se saisir à chaque instant en poussant des petits cris d'impatience ou d'admiration. Ma seule préoccupation, en fait, était de trouver au plus tôt la photo qui conviendrait le mieux pour la une de notre revue, et de laquelle je commençais petit à petit à me faire une idée assez précise.

Je connaissais plusieurs des photos qui avaient rendu Daniel Boudinet célèbre. Il avait été le premier à ne pas se contenter des façades du Panthéon et à offrir au monde le spectacle de l'immense espace intérieur sous la voûte. Il avait obtenu le droit de pénétrer dans les lieux et s'était attardé à capter l'étrange magie qui se dégageait de ce vide impressionnant et qu'on sentait pourtant habité, alourdi du poids de ses fantômes, à la fois dépouillé à l'extrême et riche de mille détails raffinés. C'était à lui, également, que l'on devait cette magnifique photo du Théâtre Présent dans le XIXe qui avait servi à annoncer la programmation d'une nouvelle saison et qu'on avait vue partout dans les rues de Paris. Sur cette affiche, le théâtre, en réalité très modeste, apparaissait comme une sorte de château féerique baigné d'un éclat somptueux, balayé par un immense rideau de scène rouge. Le bâtiment en tant que tel devenait ainsi l'objet d'une représentation théâtrale que l'artiste aurait mise lui-même en scène. Une véritable majesté se dégageait de l'ensemble, l'impression d'une cérémonie qui transformait l'édifice en nouveau temple de la création. Je rêvais d'une photo aussi belle pour *Nyx*. Je rêvais de ces zones sombres traversées d'une lumière éclatante qui jaillissait comme des flèches ; je rêvais de ces couleurs vives qui retenaient l'œil pour souligner le pli d'un tissu ou la ligne d'une architecture ; je rêvais de ces contrastes et de ces perspectives profondes que j'avais admirés si souvent et qui m'avaient tellement impressionné.

Étrangement, les photos que nous proposa Daniel Boudinet ce jour-là ne ressemblaient en rien à celles que j'avais déjà vues et qui m'avaient tant plu. J'avais l'impression qu'il nous montrait des clichés qui correspondaient à des périodes plus anciennes de son travail, des périodes encore méconnues, comme s'il avait décidé d'aller rechercher dans son passé des photos dont nul n'avait encore voulu et qu'il essayait de placer à cette occasion, espérant sans doute combler un retard ou réparer ce qui lui semblait une injustice du sort – un peu comme un auteur revient parfois à ses œuvres de jeunesse, encore inédites, mais auxquelles il est profondément attaché, tout en craignant intérieurement de décevoir son public, de ne pas être à la hauteur des attentes qu'il suscite, et pire, d'être accusé de ressortir ses fonds de tiroirs. C'est exactement l'impression que j'eus à cet instant. Je me disais qu'il était impossible que Daniel Boudinet ait renoncé au style flamboyant qui lui avait valu ses plus grands succès même si, comme tout artiste, il devait posséder plusieurs facettes et se sentir déchiré entre ses productions les plus grand public, qui séduisaient le regard dès la première seconde, et un travail plus confidentiel, moins spectaculaire, très éloigné sans doute du tape-à-l'œil de la mode et des courants commerciaux… Cependant, je n'osais lui en demander la confirmation. Au fond de moi, j'étais convaincu qu'il adorait ces photos, qu'il les préférait peut-être même à celles du Panthéon et du Théâtre Présent, et j'eus aussitôt l'intuition d'une sorte de malentendu entre nous. Nous n'étions pas sur la même longueur d'onde. J'étais à recherche d'une photo de magazine qui aurait frappé l'attention d'emblée, à la limite du clinquant, tandis que de son côté, sans doute mis en confiance par la présence de son vieil ami, le photographe jouait la carte de l'intimité, nous ouvrait son cœur, nous parlait de sentiment et de sincérité.

Prises en lumière naturelle, les photos qu'il exhibait proposaient un retour à la terre, à la simplicité et aux choses vraies, dépouillées de tout artifice. J'avais sous les yeux des champs à perte de vue, des vallons boisés, des clôtures et des vaches, de vastes horizons campagnards, des prés larges et vides, entachés par endroit de petites fleurs aux couleurs chaudes qui perçaient ce tapis monochrome de verdure comme autant d'impertinences. Le tout n'était pas dépourvu d'intériorité, loin de là, il me semblait même que ce n'était que cela, une transcription de l'intériorité, la recherche d'une paix intérieure, une volonté manifeste de se confronter à un espace sans limite qui allait jusqu'à remettre en question l'existence de l'homme face à l'immensité et au cycle éternel des saisons. Derrière chaque prise de vue, je crus discerner une quête, et plus fort encore, une certaine nostalgie des jours anciens et de l'innocence immaculée de l'enfance. Daniel Boudinet était probablement convaincu que ce type d'image conviendrait parfaitement au caractère un peu artisanal de notre revue. L'authenticité et la pureté de sa démarche ne faisaient aucun doute, mais nous étions néanmoins à des années-lumière de ce que je m'attendais à trouver.

Pendant que je m'égarais dans mes réflexions, sans émettre le moindre commentaire, Yves s'exclamait sans cesse. C'était exactement ce qu'il voyait pour *Le Bureau des enfants perdus*. Il disait que c'était un texte champêtre et, bien sûr, j'avais plutôt du mal à partager son enthousiasme. Je n'arrivais pas à concevoir la couverture de *Nyx* avec un paysage de campagne. Non seulement parce que les photos ne me plaisaient pas trop, mais surtout parce qu'elles ne correspondaient pas du tout à la direction esthétique que nous avions prise jusqu'alors. De plus, je savais que, même si je me laissais influencer par Yves et par Daniel, même si je me joignais à leur avis et que je retenais un des clichés qui s'étalaient devant nous, les autres membres de la revue, eux, ne se laisseraient pas convaincre si facilement. Je redoutais déjà le moment où, devant un tribunal improvisé, je devrais justifier à moi seul ce choix étonnant, expliquer au nom de quoi *Nyx* prendrait tout à coup un tel virage thématique. Je n'avais pas le moindre argument pour le faire, si ce n'est peut-être, que la photo nous était offerte gracieusement et qu'elle était l'œuvre d'un artiste reconnu, mais seraient-ce des raisons suffisantes à leurs yeux ?

J'ai dû prendre sur moi, trouver du courage. J'étais plutôt gêné. J'ai essayé d'expliquer ma position aux deux amis. Pendant un instant, ils sont restés saisis par mon intervention, les mains immobiles sur les planches, le regard tourné dans ma direction, sans rien dire. Après quelques secondes qui m'ont paru une éternité, quand ils ont finalement compris où je voulais en venir, c'est-à-dire que les photos ne me satisfaisaient pas, ils ont affiché presque en même temps un air un peu déçu et étonné, à la limite de l'incrédulité, mais, patient, Daniel Boudinet a fermé tous les albums devant lui en me disant qu'il comprenait et qu'il avait autre chose à me montrer. Quant à Yves Navarre, déjà lassé, il décréta qu'il allait nous laisser nous débrouiller tous les deux, et il décida de retourner s'asseoir dans son fauteuil et de nous attendre au salon. Yves avait la particularité de se désintéresser assez rapidement de ce qui ne le concernait pas directement. C'était lui qui avait tenu à impliquer le photographe dans notre projet ; c'est lui qui nous avait réunis ici tous les trois et, indirectement, il était responsable de cette situation et du quiproquo que nous vivions. Pourtant, sans manifester le moindre scrupule, il ne voyait aucun inconvénient à nous planter là, à réagir comme s'il se lavait les mains de toute cette affaire et à nous abandonner la responsabilité de la décision. Nous sommes restés seuls, Daniel et moi, avec cet héritage dont nous nous serions volontiers passé, cette nécessité absolue de nous entendre sur la perle rare qui conviendrait à *Nyx*, à Boudinet, à Navarre, à mes collègues de la revue ainsi qu'à moi-même. Plus le temps passait et plus la tâche devenait colossale. Ce qui m'était apparu au début comme une simple formalité prenait brusquement les proportions d'un défi insensé. J'étais de plus en plus pressé d'échapper à cette obligation d'aboutir coûte que coûte à un résultat. Après tout, je n'avais rien demandé. Cette situation m'avait été imposée par d'autres et, à présent, je me retrouvais seul dans l'arène à jouer un rôle dont je ne voulais pas. Je commençais à me sentir coincé, comme tombé dans un traquenard, tiraillé entre les exigences d'Yves Navarre, qui tenait à la participation de son protégé, et celles des autres collaborateurs de la revue qui, je le craignais, se moquaient éperdument de la chance qui nous était offerte. Mes collègues de la revue ignoraient tout de Daniel Boudinet ; ils n'avaient jamais vu l'affiche du Théâtre Présent, ou si c'était le cas, ils ne s'étaient pas arrêtés à se demander qui en était l'auteur, et ils connaissaient encore moins ses photos du Panthéon. J'aurais pu aussi bien leur parler de Tartempion ou de n'importe qui, ça leur aurait fait exactement le même effet. La partie n'était pas gagnée.

Je regardais Daniel Boudinet tourner docilement les pages d'un nouvel album et je me disais que je ne pourrais pas rester sans réaction indéfiniment devant les photos d'un artiste aussi renommé que lui, d'autant plus qu'il nous les proposait pour nous rendre service, de façon totalement désintéressée. J'avais l'impression qu'il me fallait absolument répondre à tant de prévenance avec un minimum d'empressement et de courtoisie, que je ne pouvais en aucun cas me permettre de faire le difficile et que, à défaut de me décider pour tel ou tel cliché, il me fallait au moins justifier mon silence. Je ne voulais surtout pas paraître incorrect, détaché, ou pire encore, insensible au geste et à la démarche de l'artiste. Je savais qu'à un moment ou à un autre il me faudrait mettre un terme à mes hésitations, que c'était inévitable, qu'il me faudrait me prononcer, et que plus j'attendais, plus je risquais de vexer mon interlocuteur. J'avais bien conscience que je lui faisais perdre son temps ; un certain agacement de sa part, des soupirs répétés quoique retenus et quelques discrets froncements de sourcils me faisaient déjà entrevoir les limites de sa patience, mais en même temps, je ne voyais pas du tout comment lui exposer la vérité. Je ne songeais qu'à me cacher derrière l'éventuelle réaction de mes collègues de la revue, mais ceux-ci n'étaient même pas là pour exposer leur point de vue ; ni Yves Navarre ni Daniel Boudinet ne les avaient jamais rencontrés et, à leurs yeux, ces intervenants fantômes ne représentaient rien du tout ; ils n'avaient de consistance que pour moi, et je me doutais bien que continuer à faire appel à ce seul argument ne tarderait pas à constituer aux yeux de ceux qui étaient présents un prétexte un peu facile et, à la longue, de moins en moins acceptable. Jusqu'où pouvais-je ainsi tenir ? Pourtant, je connaissais mes compagnons de travail et plus je regardais les photos, plus j'avais la conviction qu'il me serait impossible de les leur faire accepter. Je ne savais plus comment me sortir de là.

Finalement, l'album s'est ouvert presque par magie sur des images de Paris la nuit qui m'ont semblé mieux correspondre à ce que nous cherchions. Il avait suffi de tourner une page de plus, une seule, et un autre univers s'était offert au regard. Sans transition, mille nouvelles perspectives se profilaient à l'horizon. J'ai demandé à Daniel de s'arrêter un instant et, comme il semblait content de me voir enfin intéressé par quelque chose, il m'a confié son compte-fils et m'a invité à prendre mon temps ; il a dit qu'il m'attendrait dans la pièce à côté. J'ai accepté. Je voyais bien qu'à son tour, il se désintéressait de ma recherche et cela ajoutait à mon malaise. « Même lui ! » ai-je pensé. Tout cela prenait trop de temps, ou devenait trop compliqué. L'affaire finissait par lasser tout le monde. Sur ce, Daniel Boudinet est sorti rejoindre Yves Navarre.

J'ai regardé la nouvelle série de photos en pensant que j'aurais peut-être plus de chances de réussir à imposer quelques-unes d'entre elles au comité de *Nyx*. Il s'agissait de rues, la nuit, de tunnels principalement, et de tronçons du boulevard des Maréchaux, avec ses vieux néons jaunes et blafards, ses parois blanches couvertes de carrés en céramique et ses pavés irréguliers, plus ou moins dissimulés sous l'asphalte du sol.

J'adore le boulevard des Maréchaux. Je l'adore parce qu'il est l'ancêtre de l'actuel boulevard Périphérique, qu'il est vieux et désuet aujourd'hui, mais, aussi, parce qu'il me rappelle les départs et les retours de vacances d'autrefois, quand nous empruntions ce couloir de dégagement, le seul disponible, si vite et si totalement saturé à l'heure des grandes migrations, toute la famille serrée dans la

Citroën noire de mon père, et je dis bien « de mon père » car, en ces temps-là – c'était avant les autoroutes et les voies express – les voitures appartenaient d'abord aux hommes et, ensuite seulement, peut-être, à leur famille.

Tout comme ses portraits et ses prises d'intérieurs, les photos de nuit de Daniel Boudinet sont particulièrement réputées. Un coup d'œil suffit à comprendre pourquoi : la lumière y est magnifiquement distribuée. J'ai observé avec attention ces photos qui possédaient une modernité séduisante, et j'ai isolé facilement trois ou quatre d'entre elles, comme on me l'avait suggéré. Sur chacune, les perspectives se détachaient clairement. L'artiste avait créé de véritables perspectives, ménageant des zones d'ombre sur lesquelles il serait facile de positionner les titres de la revue. Plus je les regardais et plus il me semblait qu'il serait possible d'en faire quelque chose de vraiment convenable, même si le résultat serait forcément assez différent de ce que j'avais pu imaginer au début. Je me voyais déjà sorti d'affaire. Intérieurement, j'ai poussé un soupir de soulagement. La première étape était passée ! Il ne me restait qu'à soumettre cette présélection au comité de rédaction de *Nyx*. Je savais parfaitement que rien n'était encore acquis ; les collaborateurs de la revue n'approuveraient pas forcément mon choix, loin de là, mais quand même, j'avais bon espoir. Je me sentais soulagé et m'apprêtais déjà à rejoindre les autres, exhibant les photos comme un trophée, sourire aux lèvres.

Pendant que j'extirpais délicatement les diapositives de leurs petits étuis de plastique, j'entendais les deux complices de longue date qui discutaient dans la pièce à côté. Je ne me souviens plus des noms qu'ils ont cités. Il s'agissait de gens que je ne connaissais pas. Yves Navarre a parlé d'un jeune homme qui était l'ami d'une relation commune, son ami à lui, et l'ami de Daniel Boudinet ; il voulait savoir s'il était possible que ce jeune homme se soit vraiment suicidé ou si ce n'était pas plutôt *autre* chose, et il a insisté sur le mot « autre ». Son interlocuteur a marmonné qu'il n'était pas au courant. Alors, Yves a continué en lançant : « Tu sais qu'il était malade », et Daniel a confirmé qu'il le savait. Comme pour changer de conversation, le photographe a ensuite demandé des nouvelles d'un autre jeune homme et Yves a dit que celui-là aussi était malade. « Oui, mais comment va-t-il ? » a insisté son compagnon, et l'écrivain a répondu simplement : « Il fait comme les autres. » Et, après un silence, il a ajouté : « Il lutte. »

Depuis l'endroit où je me tenais, j'entendais très distinctement leur conversation. J'en étais un peu gêné, comme chaque fois que l'on surprend des propos qui ne nous sont pas destinés, surtout s'ils présentent un caractère plus ou moins privé. Pourtant, ni Yves ni Daniel ne semblaient faire le moindre effort pour étouffer leur voix ou pour se montrer un peu plus discrets. J'en ai déduit qu'ils devaient avoir parfaitement conscience que je les entendais et même que j'avais dressé l'oreille à certains moments, mais que cela, sans doute, ne les dérangeait pas. Pourtant, il était clair qu'ils ne se seraient pas lancés dans une telle conversation en ma présence – nous n'étions pas assez intimes pour en arriver là – et j'avais la conviction qu'ils profitaient justement de l'occasion de leur bref tête-à-tête pour aborder des sujets plus personnels qui ne regardaient qu'eux. Je me sentais dans la situation d'un indiscret malgré lui, ce qui était assez inconfortable, et pour échapper à cette impression, j'éprouvai aussitôt le besoin de me soustraire à leurs confidences. Mais comment ? J'étais persuadé que si je manifestais ma présence d'une façon ou d'une autre ce serait pire encore. Si je les rejoignais au salon à l'improviste, si je me raclais la gorge bruyamment ou si je faisais volontairement un bruit outrancier, cela ne ferait que reporter le malaise sur les autres et ne réglerait rien. Sans doute se tairaient-ils aussitôt, agacés de se savoir espionnés, habités par le remords d'avoir trop parlé, trop haut, trop fort, embarrassés même d'être ainsi rappelés à la réalité, c'est-à-dire que j'étais toujours là, comme un obstacle au milieu d'eux, à traîner dans leurs pattes avec cette histoire de photo qui n'en finissait plus. Une telle perspective ne me tentait vraiment pas, si bien que, par dépit, j'ai préféré rester dans le silence, le plus discret possible, à espérer que leur conversation s'arrêterait aussi naturellement qu'elle avait commencé. Sans rien forcer. Je tenais toujours mes diapositives à la main, immobile et ridicule, et je n'osais ni bouger ni souffler, encore moins me montrer.

Au bout d'un moment, Yves Navarre a demandé à son tour des nouvelles d'un autre jeune homme, qui lui aussi devait être malade, et Daniel Boudinet, utilisant le même verbe que l'écrivain, a répondu : « Il lutte », mais cette fois en accompagnant son propos d'un petit rire derrière lequel j'ai cru percevoir une sorte de désinvolture qui m'a mis mal à l'aise. J'imaginais un haussement d'épaules, une grimace ou n'importe quel geste d'impuissance qui aurait pu venir illustrer son intonation et, à ce moment-là, je n'ai pu m'empêcher de juger cette attitude un peu trop insouciante, voire déplacée. Presque aussitôt, j'ai songé au verbe qu'il avait employé : « Il lutte ! » C'était un choix conscient, j'en étais sûr, une volonté délibérée de reprendre la même expression qu'Yves Navarre et, en même temps peut-être, de clore la conversation, comme s'il était impossible, ou inutile, d'en dire plus. Je me suis étonné de l'emploi de ce verbe. Je me suis rendu compte qu'il était étrange de résumer en un seul mot, aussi modeste qui plus est, en un seul petit verbe, toute la souffrance et tout le malheur de ces gens qui étaient malades. En même temps, je devais reconnaître qu'il convenait parfaitement ; d'une part, parce qu'il n'enlevait pas tout espoir de vaincre et, d'autre part, parce qu'il m'apparaissait très réaliste, très concret, presque descriptif. Je voyais mal quel autre mot aurait pu posséder un sens aussi précis, parfaitement circonscrit et aussi tranché qu'une blessure au couteau. Lutter était on ne peut plus clair. Je me suis dit que les maladies ne sont jamais rien d'autre que des luttes. J'ai pensé que ceux qui luttaient pouvaient le faire pendant des mois et des mois, souvent même pendant plusieurs années, que parfois ils gagnaient et que parfois ils perdaient. Que c'était comme ça, la vie, à peu près pour tout d'ailleurs. Et j'ai pensé à ces milliers de luttes engagées autour de nous, dans tant de domaines différents, mais qui n'en faisaient finalement qu'une seule, la lutte pour la vie, pour le bonheur, et c'était la première fois que j'envisageais le destin de l'être humain en ces termes, avec cette idée de gain et de perte, de succès ou d'échec, en permanence, comme dans une immense et perpétuelle compétition. Plus j'en prenais conscience et plus le comportement de Daniel Boudinet me paraissait étrange. Je trouvais qu'il affichait un détachement insolite pour parler de gens qui lui étaient proches et dont il devait forcément partager la souffrance; il s'exprimait exactement comme si ce qui leur arrivait était de la plus grande banalité, un fait tout simple, très ordinaire, sur lequel il n'était nul besoin de s'attarder, et je n'arrivais pas à m'habituer à sa réaction. En fait, je ne la comprenais pas.

Peu après, je suis sorti de la pièce où je me tenais retranché et, aussitôt, tel que je l'avais pressenti, Daniel et Yves ont commencé à parler d'autre chose, des photos que j'avais choisies, des différentes procédures qu'il fallait mettre en place pour que nous nous organisions au mieux, en tenant compte de la procédure de sélection qui n'était pas terminée, des dates de parution que nous avions envisagées et des techniques d'impression qu'il faudrait utiliser. La conversation avait repris une tournure très professionnelle et quiconque aurait surgi à nos côtés à cet instant n'aurait jamais pu soupçonner que trente secondes auparavant, chacun d'entre nous avait à sa façon plongé dans les abîmes de la souffrance humaine, de la peur, du désarroi le plus total, avec sa part de non-dits, ses craintes étouffées, sa détresse inavouée et cet immense espoir, insensé et secret, de s'en sortir quand même, malgré tout, malgré les autres qui tombaient, et malgré le piège impitoyable qui semblait se refermer sur nous un peu plus chaque jour. Même si personne n'aurait jamais accepté de l'avouer, je savais que n'importe quelle conversation sur la maladie faisait naître aussitôt en chacun la folle espérance d'échapper à tout ça, d'être le seul rescapé s'il ne devait y en avoir qu'un seul, comme si c'était là un sort destiné uniquement aux autres. À peine s'était-il ouvert sous nos pieds que nous nous employions déjà à refermer le gouffre menaçant, à concentrer nos forces pour nier son existence et à tout faire pour que reprenne le cours normal de la vie, aveugle et indifférent. Nous avons fini nos cafés. Daniel Boudinet m'a fait promettre de lui ramener ses diapositives le plus tôt possible et de lui faire parvenir le numéro de *Nyx* sitôt qu'il serait sorti. J'ai promis. Nous étions tous satisfaits d'en avoir enfin terminé et nous avions hâte de passer à autre chose, d'abandonner ce matin de printemps à la poussière et aux souvenirs, d'oublier nos propres mots, nos regards, les sous-entendus au sujet de ceci ou de cela et cette angoisse de n'aboutir à rien, sans compter cette tension qui avait couru entre nous à plusieurs moments, retenue, inexprimée, mais palpable. Il était évident qu'un matin pareil ne pourrait laisser de trace chez aucun d'entre nous. Il ne fallait pas. Tout semblait beaucoup trop ordinaire pour cela. Ce n'était que du vent, des choses à faire, ni plus ni moins, presque sans conséquence, sans conviction, sans poids ni prix. La page était déjà tournée. Chacun allait reprendre sa vie, Yves Navarre sa vie d'écrivain vedette et esseulé, Daniel Boudinet sa vie de photographe qui monte qui monte, et moi ma vie d'étudiant bohème qui préférait investir tout son temps dans une revue littéraire, un de mes grands rêves de l'époque, plutôt que de traîner sur les bancs de la Sorbonne. Derrière nous, tout était en ordre, bien à sa place, les esprits apaisés, les photos rangées et les objectifs atteints. La représentation pouvait s'achever. Et nous nous sommes quittés là-dessus.

Comme je l'avais prévu, lors de la réunion suivante du comité de rédaction de la revue, j'ai eu un mal fou à imposer la présélection que j'avais effectuée parmi les œuvres photographiques de Daniel Boudinet. Personne n'en voulait. C'était la pagaille générale. Les avis fusaient de toutes parts, tous contradictoires. Certains se prenaient la tête entre les mains, en signe de détresse, à l'image de ces pleureuses professionnelles dans les veillées funéraires du Moyen-Orient. On était en plein drame. J'ai vu venir l'instant où j'allais devoir retourner chez Daniel Boudinet lui rapporter ses clichés et le remercier de sa gentillesse tout en précisant que finalement, vraiment, ça ne convenait pas. J'en étais pétrifié d'avance. J'ai insisté de nouveau. J'ai expliqué qu'il fallait absolument parvenir à un compromis, qu'il y avait trop d'enjeux derrière ce choix, trop de susceptibilités. C'était une situation impossible. J'ai admis que les photos de Daniel Boudinet ne correspondaient peut-être pas tout à fait à l'esthétique que nous avions adoptée jusqu'alors dans *Nyx*, mais j'ai rappelé également que nous devions tenir compte de l'environnement propre à Yves Navarre, que c'était un engagement que nous avions pris envers lui et que l'écrivain tenait à la participation de son ami ; enfin, j'ai certifié que, dans tout ce que Daniel Boudinet m'avait proposé, j'avais vraiment sélectionné les photos les plus susceptibles de faire la couverture de la revue et qu'il n'existait pas d'autre recours. Il faut dire que je les voyais venir, mes camarades ; certains commençaient déjà à murmurer qu'on pourrait peut-être retourner tous ensemble chez Boudinet, lui demander d'ouvrir d'autres cahiers à spirale, et tout recommencer depuis le début. Ah ! ça non, il n'en était pas question ! Pas question de subir de nouveau une pareille épreuve, avec toute la délégation réunie, cette fois, ce serait un vrai cauchemar. Exposer nos divergences en public, cette immaturité que je déplorais chez plusieurs d'entre nous. Non et non ! Je me suis montré très ferme là-dessus. Je leur ai dit que ce serait une des photos qu'on avait sous les yeux ou aucune. Un point, c'est tout. J'ai essayé de me montrer le plus persuasif possible. Je sentais que tout mon engagement envers Navarre et Boudinet allait se jouer là, dans cet instant décisif, tout l'avenir de ma relation avec eux, à laquelle je tenais, et je vivais cette aventure comme une épreuve initiatique dont dépendraient à la fois mon honneur et ma crédibilité. Je n'en revenais pas de découvrir à quel point cette histoire, qui s'annonçait plutôt simple au début, avait fini par prendre des proportions aussi démesurées et par engager à ce point ma responsabilité.

Le débat n'en finissait toujours pas. Les membres du comité de rédaction exprimaient leurs sempiternelles objections et butaient à tour de rôle sur l'aspect monochrome des photos, sur leur caractère plutôt statique, sur l'absence de fantaisie qui s'en dégageait et sur leurs tonalités assez sombres qui étaient tout le contraire de ce qu'on cherche normalement pour la une d'un périodique. Alors que je désespérais, brusquement, le graphiste de la revue a eu l'idée de couper la poire en deux. Il voulait bien se *résigner* – c'était son terme – à utiliser une des photos de Daniel Boudinet mais, parallèlement, il proposait de jouer au maximum avec les couleurs et la disposition des éléments de texte afin d'animer un peu l'ensemble. Il faut dire que la revue avait déjà fait sa couverture avec une photo de Bernard Pivot qui recevait une tomate en pleine figure, un gros plan de poissons morts à l'étal d'un commerçant, ainsi que plusieurs peintures d'artistes contemporains, et il est vrai que l'austérité du boulevard des Maréchaux nous emmenait complètement dans une autre direction, mais pourquoi pas? Le concept a donc été adopté comme ça. Nous nous sommes entendus sur une photo en particulier et nous l'avons confiée à notre graphiste en nous remettant aveuglément à son imagination et à son talent. La partie était jouée.

Quelques jours plus tard, un projet de maquette était déjà prêt. La photo que nous avions choisie montrait l'entrée d'un tunnel, avec de gros contreforts couverts de carrés en faïence blanche qui semblaient soutenir une imposante structure de béton et qui dessinaient comme un « K » majuscule, immense, posé entre ciel et terre. L'espace était admirablement réparti et donnait à la scène l'allure d'un assemblage désordonné de figures géométriques qui auraient formé un tout cohérent presque par inadvertance, sans qu'une volonté vraiment intentionnelle soit intervenue pour présider à son édification. Dans son ensemble, la photo donnait l'impression d'un désordre urbain, ce qui me plaisait bien, même si, étrangement, la scène s'avérait presque vide, sans la moindre trace de vie, hormis l'ombre d'une voiture qu'on distinguait à peine et qui devait passer très vite à l'instant du déclic, par inadvertance elle aussi. Le graphiste avait placé cette vue sur un fond de papier à relier aux motifs cachemire roses et mauves, disposés en écaille. D'emblée, le contraste était flagrant entre le côté dépouillé de la photo et le caractère quasi surchargé du papier tout autour. Le nom de la revue et la mention *Yves Navarre, poète* étaient inscrits en grosses lettres orange tandis que la photo était encadrée d'un large trait de la même couleur. Il faut reconnaître que le résultat était assez osé et tendait vers le kitsch avant l'heure car l'association des caractères orange, du papier rose et de la photo dans son cadre orange ne manquait pas de détonner et de dérouter. Mais bon, je me suis dit que c'était un parti pris comme un autre. Plus tard, Yves Navarre devait faire la tête en découvrant qu'il constituait seulement le « dossier » du numéro. Il s'attendait à une parution qui lui soit entièrement consacrée et qui porte son nom en gros, même s'il savait pertinemment que tel n'était pas l'usage de notre revue. Mais il l'avait oublié, prétendit-il. Le numéro contenait par ailleurs de très beaux textes d'Anne Dandurand, de Mathias Bresson, d'Annie Saumont et de Christa Reinig, des illustrations de Mathias Bresson et celles d'Alekos Fassianos qui accompagnaient le poème de Navarre, tel qu'il avait été convenu. Au moment d'envoyer les bons à tirer à l'imprimeur, tout le monde semblait à peu près content; l'hystérie générale qui avait présidé à la réalisation du numéro s'était enfin calmée; tout était prêt pour affronter le grand jour de la parution.

Aussitôt nos conciliabules terminés, j'ai renvoyé les diapositives à leur propriétaire, avec un mot de remerciement et, tel que je le lui avais promis, je l'ai assuré que je l'avertirais dès que nous aurions enfin reçu le nouveau numéro de la revue. Daniel Boudinet était très impatient de découvrir notre travail. Même si je ne lui en avais jamais vraiment parlé, j'étais persuadé qu'il avait deviné l'étendue des tergiversations qui avaient précédé la conception de la couverture. Au cours des derniers jours, je lui avais donné assez peu de détails sur l'avancement de notre projet, et toujours sur ce ton embarrassé qui trahissait le niveau de difficulté que nous avions éprouvé. Je soupçonnais qu'il avait vécu cette période très intensément lui aussi, à sa façon, dans l'attente et le silence, peut-être également dans le doute, car un artiste, aussi renommé soit-il, vit toujours dans l'angoisse le moment où un jugement extérieur viendra se poser sur son travail et en proposer une autre interprétation. Bref, une ou deux semaines plus tard, dès que la revue est revenue de chez l'imprimeur, j'ai appelé le photographe qui, sans hésiter, m'a invité à passer chez lui au plus tôt pour prendre un café et pour que je lui apporte les exemplaires qui lui étaient destinés.

Je suis retourné dans le XIIᵉ, seul cette fois. J'ai retrouvé l'appartement du photographe comme si je l'avais quitté la veille, absolument inchangé. La présence d'Yves Navarre flottait encore autour du fauteuil du salon, mais comme il n'était plus là pour assurer le lien entre nous et lancer une quelconque conversation, nous en sommes venus immédiatement à ce qui nous préoccupait. J'ai sorti la revue sans préambule et je la lui ai tendue. Quand il a vu la couverture de *Nyx*, le papier rose et mauve à motifs cachemire, les grosses lettres orange et le cadre orange lui aussi tout autour de sa photo, Daniel Boudinet est resté saisi d'émotion et, en l'espace d'un éclair, ce fut comme une révélation : sans même qu'il ait besoin d'ajouter quoi que ce soit, de lever ne serait-ce qu'un sourcil, j'ai su que nous avions échoué, j'ai su que nous avions abouti à une véritable catastrophe, une horreur inqualifiable, que ce que nous avions fait n'était rien d'autre qu'une monstruosité pure et simple, et j'ai su aussi que j'allais devoir en payer le prix seul, ici, que j'allais devoir assister, coupable et impuissant, au pire spectacle que l'on puisse redouter dans pareilles circonstances, celui de la fin d'un rêve et de la confiance bafouée. Daniel Boudinet a gardé le silence un moment, son visage est devenu plus pâle, et il a simplement dit que ce qu'il avait sous les yeux ne correspondait pas du tout à l'environnement qu'il envisageait d'ordinaire pour son travail. Ses gestes étaient très lents, comme s'il était seul dans sa chambre noire, perdu dans ses réflexions et coupé du monde extérieur. Il ne cessait d'approcher et d'éloigner la revue de son visage, afin d'en contempler l'effet à différentes distances, sans que le moindre signe de satisfaction ne vienne éclairer un tant soit peu son expression. Ce n'est rien de dire qu'il semblait déçu et peiné, mais il est resté très gentil en même temps, très compréhensif. Il s'excusait presque de ce qu'il disait. Il a ajouté qu'il ne faudrait pas lui en vouloir s'il n'intégrait pas cette couverture de *Nyx* dans son *press-book*, s'il ne la montrait jamais à personne et s'il préférait qu'on oublie que sa photo avait été publiée dans de telles conditions. Il a dit que ce n'était pas du tout représentatif de sa démarche, qu'il ne pouvait rien en faire, rien, et, simplement au timbre de sa voix, j'ai compris que cette photo, en quelque sorte, il la reniait, qu'il refusait de la reconnaître comme sienne, qu'il était même gêné que son nom puisse apparaître à côté d'une chose pareille. Je me suis pris à espérer qu'il soit un peu content quand même d'avoir fait plaisir à Yves Navarre et de nous avoir aidés, mais je savais que seul comptait alors pour lui le respect dû à son travail et qu'il avait l'impression que ce respect lui avait été retiré, sans qu'il comprenne bien pourquoi, par des espèces de petits jeunes un peu futiles et inconséquents. Tout ce que son projet de copublication avec son ami écrivain avait pu susciter en lui d'illusions et d'espoirs venait d'être balayé d'un seul coup. Désormais, l'histoire de cette photo s'arrêtait net. Son art, il se l'est arraché du cœur, devant moi, et j'ai presque pu voir les traces de sang couler de sa poitrine. Je crois qu'il s'est senti totalement incompris, tout à fait marginalisé dans sa vocation, peut-être même trompé et souillé, et dans une certaine mesure, il n'avait pas tort. Nous avions tout salopé. C'était notre faute. Jamais je n'avais fait pire constat de ma vie et jamais je ne m'étais senti autant coupable sans bien saisir exactement où se situait mon crime.

Au fond de moi, je me disais que je n'avais fait qu'essayer de répondre aux attentes et aux désirs de chacun; je pensais avoir agi au mieux en fonction des circonstances et des impératifs, et voici qu'au final, je devais assumer la paternité d'un véritable désastre. Daniel Boudinet était le seul juge, le seul vraiment concerné, et son verdict venait de tomber, implacable. Je ne me sentais aucune force pour essayer de défendre ce que nous avions fait ni pour justifier notre entreprise. Comment aurais-je osé? Ce n'était même pas défendable. Nous avions été aveugles et j'étais responsable de tout, d'avoir entraîné le grand photographe dans cette galère, d'avoir accepté que sa démarche soit détournée à ce point, de ne pas avoir refusé en son nom, ou encore, de ne pas l'avoir mis en garde de ce qui se tramait afin qu'il puisse intervenir lui-même. C'était une trahison, ni plus ni moins, et même chez les plus endurcis, la trahison laisse toujours un goût amer. Je savais que Boudinet avait raison, qu'il était dans son droit, le droit de se laisser tomber aussi profondément que l'entraînait sa peine, qu'il aurait même été justifié de me faire la pire scène possible, là, tout de suite, dans son petit appartement du XIIe, qu'il aurait pu crier, me jeter la revue à la figure, me foutre dehors de chez lui en me lançant des insultes et que je n'aurais eu qu'à me taire et à accepter sa réaction. J'étais à cent pour cent d'accord avec ce qu'éprouvait cet artiste renommé. Je crois même que je l'ai ressenti encore plus fort que lui. Dès lors, il n'était plus besoin d'ajouter quoi que ce soit ni de prolonger cette scène

d'une seule seconde. J'ai eu un vague haussement d'épaules auquel
il n'a pas répondu et je l'ai quitté comme on abandonne un blessé
sur un champ de bataille, la mort dans l'âme.

Dans les semaines qui ont suivi, Daniel Boudinet m'a appelé
plusieurs fois au téléphone. Il voulait effacer l'incident, passer à
quelque chose de plus satisfaisant. Il proposait de faire mon portrait, que je pose pour lui. J'ai apprécié le fait qu'il ne témoigne
aucune animosité à mon égard mais je préparais déjà mon départ
pour le Québec, j'avais d'autres préoccupations et je n'ai pas donné
suite. Lorsqu'un artiste sollicite un modèle pour une pose, je me
suis rendu compte qu'on a souvent tendance à réagir de la même
façon. La première fois, on n'y croit pas trop, on pense à une simple flatterie ou à des paroles échappées trop vite ; on se dit :
« Pourquoi moi ? », « Qu'est-ce qui lui prend ? », on en conclut que
c'est une proposition bien polie, très gentille, on en est presque
reconnaissant, mais on n'y accorde guère d'importance et on finit
par écarter le sujet d'un sourire ou d'un revers de la manche. La
deuxième fois, on s'aperçoit que cela peut devenir sérieux, mais
comme cette perspective nous gêne, on la retient encore moins et
on en rit encore plus. La troisième fois, on s'inquiète à l'idée de
devoir fournir un jour une réponse définitive à une idée aussi far-
felue, on commence à chercher de quelle façon on va s'en sortir.
Enfin, passée la quatrième demande, le projet vire au harcèlement
pur et simple, et l'on n'a plus en tête que la fuite. Ce que j'ai fait.
Je savais que je ne serais plus jamais capable de me retrouver face à
face avec Daniel Boudinet, encore moins de me livrer à lui, immobile, sous les feux des projecteurs, de soutenir son regard, ses pensées vagabondes, tandis qu'il pourrait scruter mon visage à sa guise
et qu'il conserverait à lui seul le contrôle de mon être et de mon
image, jusqu'à faire de moi ce que bon lui semblerait. Il n'en était
pas question. J'avais toujours trop honte et j'ai laissé la porte se
refermer sur ce début d'histoire qui avait si mal commencé.

Quelques mois plus tard, en juin 1990, Daniel Boudinet est
tombé malade. Au Palais de Tokyo, je suis allé lire les repères

biographiques placardés sur un mur de l'exposition. J'ai compté sur mes doigts. Daniel Boudinet est mort en août, en deux mois à peine. J'ai voulu m'abandonner aux souvenirs, retrouver son visage, sa voix, le faire bouger encore devant moi et, à ce moment-là, seul m'est revenu ce petit rire étrange qu'il avait eu chez lui alors qu'il évoquait le sort d'un de ses amis malade. Une nouvelle fois, j'ai songé à cette désinvolture étonnante qu'il avait affichée pour aborder ce sujet si grave et je n'ai plus su que penser. Je me suis fait la réflexion qu'il avait préféré rester l'observateur attentif des luttes des autres plutôt que de la sienne. Je me suis dit que lui-même n'avait pas lutté longtemps ou que, peut-être, il avait refusé de le faire.

Depuis Colomb et Magellan, histoire des jeunes conscrits de l'ancienne caserne royale de Belém

C'EST L'AVEU qu'il faut faire, voilà, à l'occasion de l'histoire des jeunes conscrits de l'ancienne caserne royale de Belém, qu'à cette époque-là, les hommes, déjà, je les fréquentais, je les suivais des yeux, et du corps, dans les rues de Lisbonne-la-blanche, dans les vieux quartiers aux sons de fado et dans le port de Belém, évidemment, je soutenais leurs regards, celui des hommes jeunes surtout, en fouillant dans le noir de leurs yeux, car tous étaient noirs comme il se doit dans ces pays-là, dans le noir de leurs yeux donc, fouillant, cherchant la possibilité d'en arriver là, espérant cette chose, la confirmation de mon désir, et que tous, tous, cette chose, ils la comprenaient et ils y répondaient. La nuit, je marchais le long de l'ancienne caserne royale de Belém, à l'ombre – c'était incroyable – d'un vieux monastère plein de moines, de prières et de songes, comme il se doit dans ces pays-là, un peu en dehors de la ville, là où le port perdait ses allures civilisées de paquebots en partance et de promenades du dimanche pour les familles et les amoureux, et là aussi où il perdait ses allures d'éternelle commémoration des grands départs historiques des explorateurs, de Colomb et de Magellan qui, sur ordre des rois, quittèrent ces lieux pour venir nous découvrir, nous, ici, enfin, nous, l'Amérique, s'en allèrent quérir l'or et baptiser les Indes. Le port ouvrait sur le Tage, sur l'estuaire du Tage, et dans son extrémité la plus proche de la mer, la plus ouverte donc, dilatée même, là où s'implantaient, assises comme des grenouilles sur leurs pattes arrière, les grues trapues et souveraines des industries du transport maritime, là où les quais s'encombraient de caisses et de marchandises déposées en attente d'on ne savait quoi et qui semblaient toujours abandonnées, là, se retrouvaient les Marin-pas-de-chance et les Querelle-de-Brest, déracinés de leurs terres d'origine, exilés ici, sur les rives de Belém, le temps d'une nuit ou de quelques jours, et là se retrouvaient également les marginaux de la ville elle-même, de Lisbonne-la-blanche, les marginaux et ceux qui jouaient à l'être, comme moi, toutes ces silhouettes noires, grises et diffuses, jamais très hautes comme il se doit dans ces pays-là, jamais menaçantes non plus, jamais dangereuses, toutes ces silhouettes que les jeunes conscrits de l'ancienne caserne royale, à longueur d'année retenus enfermés à l'intérieur et autour du bâtiment, comme les moines l'étaient dans leur monastère, à quelques mètres seulement – c'était incroyable – que les jeunes conscrits, donc, inlassablement, attiraient. Il suffisait, c'était bien connu, de quelques pièces, quelques pièces seulement, pour que la garde de l'ancienne caserne royale, la belle garde majestueuse de l'ancienne caserne royale de Belém, essaimée si régulièrement le long des hautes murailles qui ceignaient la bâtisse, si régulièrement et si méthodiquement, à intervalles bien mesurés et soigneusement définis, ni trop loin ni trop proches les uns des autres, et cela tout autour de l'édifice sur des dizaines et des dizaines de mètres, pour que la belle garde majestueuse donc, change radicalement de visage et quitte les airs austères et solennels du vigile figé, raide et froid, pour emprunter ceux beaucoup plus complices et avenants du petit soldat d'amour. Quelques pièces seulement et les Marin-pas-de-chance, les Querelle-de-Brest et les vrais et les faux marginaux de la ville elle-même pouvaient rencontrer des corps jeunes et forts, se faire aimer par eux, dans les limites du possible, caresser et se faire caresser, sucer et se faire sucer, pénétrer et se faire pénétrer. Les jeunes conscrits de l'ancienne caserne royale de Belém avaient ceci de particulier, c'était bien connu, qu'ils faisaient véritablement l'amour avec vous, et que même s'ils étaient payés, cela, il fallait l'oublier, il était indispensable de l'oublier, très vite, instantanément car, une fois l'argent donné, il ne s'agissait plus que de faire l'amour, totalement, comme il se doit entre deux amants, et la question financière ne comptait plus pour rien dans tout ça. On n'arrivait jamais devant un des jeunes conscrits de l'ancienne caserne royale de Belém en demandant ce qu'il faisait pour tel montant d'argent, ou combien il prenait, ou s'il suçait, ou s'il se faisait enculer, non, on le choisissait avec soin et discernement, en fonction de ses propres goûts et de tant d'autres critères aussi qui variaient selon les uns et les autres; on le choisissait comme un être élu pour une cérémonie nuptiale, en faisant méticuleusement le tour du bâtiment anciennement fortifié, et plus le tour était long et lent, plus le choix que vous faisiez ensuite du jeune conscrit l'honorerait au regard des autres et de lui-même, et plus il saurait vous en être reconnaissant à sa façon, cela aussi était bien connu, que plus vous seriez long à choisir, plus le jeune conscrit serait honoré et mieux il se donnerait par la suite et mieux il ferait l'amour avec vous, au point que certains, les Marin-pas-de-chance et les Querelle-de-Brest et les vrais et les faux marginaux de la ville elle-même, avaient pris l'habitude de faire plusieurs fois le tour de l'ancienne caserne royale de Belém avant de choisir un conscrit, ce qui était très long bien sûr, très fatigant et fastidieux, mais, disaient-ils, les Marin-pas-de-chance, les Querelle-de-Brest et les vrais et les faux marginaux de la ville elle-même, ce qui leur valait également un plaisir beaucoup plus grand au moment de l'amour, car les jeunes conscrits, enfin, tellement ils étaient heureux d'être choisis après cette longue attente, et tellement ils avaient désespéré de peut-être ne pas l'être du tout, à cause du nombre, de leur nombre à eux, car l'offre ici dépassait largement la demande, les jeunes conscrits donc se donnaient alors à leur nouvel amant avec une reconnaissance, une passion et une fougue que rien, autrement, n'aurait pu susciter. Il fallait arriver ainsi devant eux, les jeunes conscrits de l'ancienne caserne royale de Belém, avec un rien d'hésitation, comme gêné par un reste de timidité, comme pour faire entendre qu'il s'agissait d'un événement rare, d'une exception que leur attrait seul pouvait justifier, de circonstances peu banales pour soi, imprévisibles aussi, bien sûr, il fallait faire entendre que cela avait lieu uniquement avec celui que vous aviez choisi, à cause de ce qu'il avait d'unique, en quelque sorte, et qu'il ne saurait en être question avec personne d'autre, que cela tenait en même temps d'une audace, qu'on se reprochait aussitôt d'ailleurs, d'une certaine façon, et en même temps d'une joie si intense, si forte, qu'elle donnait à elle seule l'élan qui emportait tout, effaçait cette honte, systématique et viscérale, dont on avait conscience pourtant sur l'instant, mais que l'impulsion du désir, plus forte encore, anéantissait par la suite ; alors d'emblée, ils vous souriaient, les jeunes conscrits, flattés de votre choix, heureux, et d'emblée, ils vous aimaient. On leur montrait l'argent dont on disposait, les Marin-pas-de-chance, les Querelle-de-Brest et les vrais et les faux marginaux de la ville elle-même, et les jeunes conscrits de l'ancienne caserne royale de Belém fermaient les yeux sur ce geste, dissimulant les sommes dans leurs poches, sans compter, sans commenter, jamais, leur visage toujours avenant et leurs attitudes toujours complices, puis, ils vous prenaient par le bras, comme il se doit dans ces pays-là, et on s'éloignait tranquillement, comme ça, des hautes murailles de l'ancienne caserne royale, devisant, bras dessus bras dessous ; on s'arrachait lentement à cette promiscuité des autres, devenue inutile ; on allait se cacher, fuir la convoitise, se soustraire aux yeux de tous ceux-là qui, envieux et jaloux, vous suivaient immanquablement du regard. Autour de l'ancienne caserne royale s'étendait un parc, un espace libre, sans clôture ni contrainte, entièrement gazonné et planté d'arbres centenaires, et c'est là que se réfugiaient chaque fois les Marin-pas-de-chance, les Querelle-de-Brest et les vrais et les faux marginaux de la ville elle-même, accompagnés des jeunes conscrits de l'ancienne caserne royale de Belém. Il n'était jamais nécessaire de chercher un nouveau décor à ces justes ébats ; le parc servait de refuge naturel, discret, à l'écart... Nous nous étendions sur l'herbe, aux pieds de ces arbres centenaires, jetés l'un sur l'autre, ou nous nous accotions, précipités dans nos bras mutuels, contre leur tronc noueux et fort, sans même prendre le temps d'enlever nos vêtements, à l'abri de ces arbres de Belém qui avaient assisté aux départs historiques des grands explorateurs, de Colomb et de Magellan qui, sur ordre des rois, quittèrent ces lieux pour venir nous découvrir, nous, ici, enfin nous, l'Amérique, s'en allèrent quérir l'or et baptiser les Indes, oui, à l'abri de ces arbres se

souvenant, et à la faveur de leur complicité, nous écartions nos vêtements du bout des doigts, et par endroit seulement, lorsqu'il était
impensable de ne pas accéder directement à la peau nue, que cela
devenait à la fois urgent et nécessaire ; nous passions fébrilement la
main dans la fente d'une fermeture éclair que nous voulions toujours descendre à la hâte, mais que nos gestes nerveux et empressés
n'ouvraient chaque fois que par à-coups successifs, comme à regret ;
nous sortions les chemises des pantalons et nous glissions nos bras
par-dessous leur tissu fripé pour remonter jusqu'aux seins que certains trituraient rageusement et avec passion, et enfin, nous tirions
tellement sur les boutons pour leur faire lâcher prise que nous tous,
les Marin-pas-de-chance, les Querelle-de-Brest et les vrais et les
faux marginaux de la ville elle-même, finissions souvent par les
arracher en même temps qu'ils cédaient. Interminablement, nous
nous roulions par terre, dans la rosée de la nuit, la salive, le sperme,
la sueur, et lorsqu'ils se relevaient, les Marin-pas-de-chance, les
Querelle-de-Brest et les vrais et les faux marginaux de la ville elle-
même, ils ne savaient jamais exactement à cause de quoi ils étaient
mouillés, si c'était de rosée, de salive, de sperme ou de sueur. En
toute saison, il restait possible de se vautrer ainsi sur le sol, de rouler
sur l'herbe et de sentir la terre en dessous de soi, il ne faisait jamais
ni trop chaud ni trop froid pour cela, car les étés sont longs à Belém
et les hivers, cléments, et parce qu'à longueur d'année, les vents
marins de l'Atlantique s'engouffrent dans l'estuaire du fleuve et
remontent jusqu'aux rives du Tage pour tempérer sans cesse les
excès du temps, les rafraîchissements éventuels et les chaleurs impé-
rieuses. Au fil des jours, cependant, au fur et à mesure des visites et
des rencontres, il arrivait cela, qu'on découvrait peu à peu, qu'avec
les jeunes conscrits de l'ancienne caserne royale, il existait une
restriction, une seule, alors qu'on aurait pu penser que rien, jamais,
n'aurait pu perturber, dans le port de Belém, ce cycle tranquille et
qui semblait éternel, qui se déroulait depuis si longtemps à l'ombre
des grands explorateurs, de Colomb et de Magellan, du monastère
et des arbres centenaires se souvenant, il existait cette seule restriction, et cette restriction était la durée, le temps qui passe, car si l'argent ne comptait pas, le temps, lui, était toujours compté. C'était

la seule souffrance et, en même temps, c'était la plus grande, la plus insoutenable et intolérable, car on a beau faire, on a beau dire, un vigile de l'ancienne caserne royale de Belém, ça reste un vigile, c'est la loi qui veut ça, la situation, le système, même si pour vous, à l'occasion, il se transforme en petit soldat d'amour, même s'il n'attend que ça dans sa tête, même s'il vous a aimé beaucoup et si fort, à un moment ou à un autre, parce qu'il le faut, que vous le vouliez ou non, le petit soldat d'amour redevient vigile de l'ancienne caserne royale dans le port de Belém, et alors là, voilà, il s'en va, il vous sourit encore mais il s'en va, il appartient à nouveau à la garde de l'ancienne caserne royale dans toute sa majesté et il rejoint les autres vigiles bien plantés tout au long des hautes murailles, essaimés si régulièrement autour de la bâtisse, si régulièrement et si méthodiquement, à intervalles bien mesurés et soigneusement définis, ni trop loin ni trop proches les uns des autres, et cela sur des dizaines et des dizaines de mètres, tout autour de l'édifice qui a connu Colomb et Magellan, les grands explorateurs qui, sur ordre des rois, quittèrent ces lieux pour venir nous découvrir, nous, ici, enfin nous, l'Amérique, s'en allèrent quérir l'or et baptiser les Indes. Les jeunes conscrits de l'ancienne caserne royale de Belém restent un an cloisonnés sur place mais ils ne sont de garde, en tant que vigiles, qu'à quelques occasions seulement sur plusieurs mois ; le reste du temps, ils demeurent enfermés derrière les hautes murailles de la bâtisse, tout comme sont enfermés les moines dans le monastère, tout près des murs de la caserne, si près, c'est presque incroyable, qu'on dirait que les deux édifices se prolongent pour n'en former qu'un seul, et dans la ville de Lisbonne-la-blanche, on dit que c'est justement pour ça, parce qu'ils ne sont vigiles que quelques fois dans l'année et parce qu'ils ne peuvent faire l'amour que précisément à ces rares occasions-là, que les jeunes conscrits de l'ancienne caserne royale de Belém sont si faciles d'accès, si peu regardants sur les prix et qu'ils investissent tant d'ardeur et de désir dans les rencontres qu'ils font ; on dit également que les autorités de l'ancienne caserne royale de Belém ferment volontairement les yeux sur ce trafic aux portes même de leur institution, parce qu'il est entendu que les jeunes conscrits trouvent ainsi un complément de salaire qui évite au gou-

vernement d'augmenter leur solde et que cela constitue autant
d'économie pour un pays pauvre ; enfin, disent aussi, dans la ville
de Lisbonne-la-blanche, les Marin-pas-de-chance, les Querelle-de-
Brest, les vrais et les faux marginaux de la ville elle-même, ce serait
pour ça, pour ce commerce, cette liberté et cet amour, que tant de
jeunes garçons de l'estuaire du Tage attendent avec impatience de
devenir conscrits à leur tour et qu'ils rêvent de ce jour comme d'une
consécration suprême, qu'ils l'espèrent dès les premières heures de
leur puberté et qu'ils en gardent le souvenir jusqu'aux âges avancés
de leur maturité, mais, dans le port de Belém, là où les silhouettes
sont noires, grises et diffuses, jamais très hautes comme il se doit
dans ces pays-là, jamais menaçantes non plus et jamais dangereuses,
dans ce port-là, n'est-ce pas, depuis Colomb et depuis Magellan, il
se dit sans cesse tant de choses, qu'entre deux vérités, les avis, souvent, les avis, toujours, restent partagés.

Illusions et désillusions
du jeune homme seul à Venise
face aux deux femmes du *Gran Caffé Quadri*

Aux « Petites filles » du Kot à projet
de l'Année nouvelle, à Louvain-la-Neuve.

L ENTEMENT, la plus âgée des deux femmes s'était penchée vers
son interlocuteur, enfonçant son regard figé dans les yeux vacillants de celui-ci et, d'un ton presque autoritaire, à la limite de l'affirmation, mais usant néanmoins d'une certaine douceur, avec cet
accent anglais très fort qui lui donnait une majesté naturelle, ici,
dans le cadre de Venise, elle avait répété cette question qu'il n'avait
pas saisie à la première écoute parce qu'elle était prononcée par une
étrangère, d'une façon qui rendait presque chaque mot méconnaissable, tandis que la voix résonnait longuement dans la pièce et
se révélait rocailleuse :

– C'est un mâle, n'est-ce pas? Un mâle.

La plus âgée des deux femmes se tenait toujours penchée vers
lui et, pour accompagner sa phrase, avait déplié son bras dans la
direction du jeune homme tout en gardant la main mystérieusement fermée sur un objet qu'il ne discernait pas encore.

Le jeune homme avait attendu un peu avant de répondre. Tout
d'abord parce qu'il était convaincu qu'un certain délai s'imposait
avant de prononcer une quelconque sentence, quel que soit le
domaine concerné, mais aussi parce qu'il pensait que plus il prendrait de temps et ferait durer son silence, plus il donnerait de poids
à son jugement, ce qui le ferait passer, aux yeux des deux femmes,
pour un individu réfléchi, qui savait éviter ces précipitations hâtives

qui conduisent immanquablement à l'erreur ou au superficiel, tout en ménageant son petit effet ; enfin, surtout, il avait attendu parce qu'il ne distinguait toujours pas l'objet dont il était question et que, en conséquence, il n'avait pas la moindre idée de ce qu'il aurait pu répondre.

Le jeune homme se sentait à l'aise dans cette attente, savourant son rôle de juge, de décideur, jubilant au spectacle des deux femmes suspendues à ses lèvres, et mesurant à chaque instant le poids croissant que son silence et son expression méditative ne manqueraient pas d'accorder à sa réponse prochaine. Il sentait dans l'air une tension qui l'amusait et le fascinait tout à la fois, car il ne parvenait pas à effacer de son esprit qu'il en était la source et que, par conséquent, il était le seul à pouvoir y mettre un terme. « Quel privilège ! » pensait-il. Quelle auguste place... et comme cela était excitant. Pour une fois qu'il tenait un rôle à Venise, le premier depuis son arrivée, voilà qu'il s'agissait d'un rôle de premier plan, du meilleur qui soit. C'était lui tout craché que cela. Tout ou rien. Le silence et l'anonymat ou, à l'inverse, le meilleur texte et le meilleur rôle de la pièce. Comme il prenait plaisir à occuper ce rang ! Ce n'était que juste revanche d'ailleurs, car, jusqu'à présent, Venise s'était montrée particulièrement ingrate, voire austère, et il lui était même arrivé de songer à ses premiers jours dans la ville-lagune avec une certaine déception.

Depuis son arrivée, et cela faisait longtemps déjà, lui semblait-il, il avait marché pendant des heures, inlassablement, comme chacun fait à Venise, ne trouvant de répit que lors des quelques trajets qu'il s'accordait en *vaporetto*, pour passer d'un lieu à un autre en suivant les canaux et en sillonnant la lagune, ou en barque, pour franchir un canal lorsque les ponts, pourtant si nombreux, venaient à manquer. Sans argent, ou si peu, ne parlant pas l'italien, il se sentait simple spectateur, passif et inutile, en contemplation perpétuelle devant un univers qui défilait sous ses yeux sans jamais le rejoindre, sans l'interpeller, et il avait traversé ainsi le temps et les lieux, persuadé que rien, dans cette ville, ne pourrait l'atteindre, surtout pas lui qui se sentait si différent des autres. Il avait le sentiment que rien ne lui était destiné ici et qu'il resterait tout à fait neutre, tout à fait humble et étranger face à chaque chose, à chaque pierre, à chaque minute et à chaque regard, et ce, jusqu'à la fin de son séjour. Or, comme un fait exprès, jusqu'alors, justement, rien n'était venu contrarier cette perception qu'il avait de Venise, rien n'avait pu modifier, ne serait-ce qu'un tant soit peu, cet *a priori* qui l'habitait et le dominait lorsqu'il posait son regard sur ce qui l'entourait. Pas le moindre détail. Les musées présentaient des expositions qui ne le concernaient pas, les théâtres affichaient des pièces qui étaient jouées dans une langue qui n'était pas la sienne, l'opéra était complet tous les soirs et Venise, qu'on disait pourtant offerte, vivait sa « vie de fille », indifférente à lui, totalement impassible et étrangère. « Rien ne m'arrivera ici en dehors de moi », pensait-il, « Je suis ma seule aventure », et, d'une certaine façon, cela lui suffisait presque.

À Venise, lorsqu'on est sans argent au point de ne pouvoir manger, au point de se contenter de longer, à l'heure des repas, les terrasses couvertes et les galeries des restaurants qui donnent sur la rue, pour se repaître des plats qu'on aperçoit dans les assiettes des autres, au point de se rendre dans les supermarchés et d'en ressortir les mains vides parce qu'on a trouvé le moindre article, la moindre boîte de conserve, la moindre pizza, même *piccoletta*, même de fabrication industrielle, si incroyablement chers qu'on n'ose se les procurer, lorsqu'on est sans argent au point de ne pouvoir s'offrir les droits d'entrée d'aucun musée ou monument parce qu'ils sont exorbitants, il ne reste qu'une seule attitude possible : marcher jusqu'à l'épuisement, échouer dans un café pour se réchauffer, rêver interminablement, parfois lire un peu, et peut-être même écrire. De cela le jeune homme avait tout à fait conscience et peut-être bien que la ville elle-même en avait conscience aussi, car – cela ne pouvait être un hasard – elle était justement parsemée de cafés et de salons de thé qui, du plus modeste au plus sophistiqué, s'incrustaient au cœur des innombrables places, le long des rues et même sur les ponts quand leur largeur le permettait. Parmi tous ces cafés, qui étaient distribués sur le parcours du promeneur, à la disposition de sa fatigue et de son bon vouloir, le plus célèbre et le plus prestigieux, bien sûr, était le *Caffè Florian*, qui trônait sur la place Saint-Marc, et dont le nom, pour le jeune visiteur français, sonnait comme un écho du *Café de Flore* de Paris.

Le *Caffé Florian* se présentait comme une enfilade de petits salons qui longeaient les galeries de la place Saint-Marc de façon à ce que chaque salon donne directement sur la place qu'on apercevait à travers d'immenses baies vitrées encadrées d'une armature dorée. On entrait dans cet élégant labyrinthe par une double porte centrale qui s'ouvrait sur une première pièce, plutôt petite, dans laquelle siégeait un immense comptoir en bois. Derrière, personne. Pourtant, c'était le cœur même du café, le centre de convergence de toutes les énergies, d'où l'on entendait sans cesse crier le détail des commandes. Des garçons de salle passaient ici en permanence, presque en courant, tenant à bout de bras, sans effort apparent, des plateaux lourdement chargés. Depuis toujours, à jamais ininterrompu, le pouls de l'établissement battait là, affolé, imperturbable, et comme l'endroit servait à la fois de vestiaire, de salle d'accueil et de point de rencontre pour les clients, c'est là également que se croisait et se saluait toute la petite société vénitienne, qu'elle soit locale ou touristique, avant de se diriger, silencieuse et solennelle, par la droite ou par la gauche, vers les petits salons latéraux. Partout à l'intérieur, les murs étaient tendus de velours rouge tandis que le mobilier, d'un autre siècle, donnait à l'ensemble des allures de musée. Sur les tables trônaient, élégamment disposés, les mille et un éléments de services à thé, à café ou à chocolat, tout en argent, ivoire, ébène et porcelaine, dont la complexité allait parfois jusqu'à indisposer. En effet, confronté à tant de protocole, nul n'était jamais sûr d'avoir choisi le bon couvert au juste moment, de l'avoir employé à bon escient et, encore moins, de l'avoir redéposé à l'endroit et de la façon qu'il convenait. Ainsi, derrière chaque assiette, derrière chaque petit pot finement ourlé, se cachait tout un flot de questions muettes et inarticulées, tandis que la vaisselle, mystérieuse et silencieuse, gardait pour elle ses secrets et ses codes.

Le jeune homme était passé et repassé devant le *Caffé Florian* mais, sans doute parce qu'il en connaissait les raffinements et la prétention – ce qui le fascinait tout en lui faisant éprouver un certain malaise –, il avait finalement décidé de ne pas y entrer. L'endroit, au bout du compte, semblait trop bien pour lui et, ce jour-là, il avait préféré continuer sa marche jusqu'au Quadri, juste en face, de l'autre côté de la place Saint-Marc. C'est ainsi qu'il s'était retrouvé, après quelques pas seulement, devant l'immense galerie vitrée du *Gran Caffé Quadri* qui, à cette heure, trônait sous les feux ardents du soleil. Aussitôt, une nouvelle hésitation s'était emparée de lui. En effet, la réputation du *Caffé Florian* avait beau éclipser, et de loin, celle de son vis-à-vis, le *Gran Caffé Quadri* n'en paraissait pas moins impressionnant pour autant. Un seul regard avait suffi pour que le jeune homme se rende compte que là aussi les tables étaient nombreuses et surchargées, que là aussi on servait les consommations dans toutes sortes de services frappés aux armes de la maison, et que là aussi le souci de l'élégance et le respect de la tradition constituaient à eux seuls la raison d'être de l'établissement et le principal motif de s'y rendre. Seule différence notoire, le jeune homme constata d'emblée que le *Gran Caffé Quadri* n'était finalement pas si grand et que si le *Caffé Florian*, comme un vieux théâtre italien, avait choisi de se parer tout de rouge, le *Gran Caffé Quadri*, lui, n'était vêtu que de vert. « À l'un la passion et à l'autre l'espoir… » avait songé le jeune homme avant de trancher définitivement pour l'espoir et de franchir d'un pas allègre les portes majestueuses de l'établissement.

Quand il était entré dans l'unique salon ouvert du *Gran Caffé Quadri*, sur la droite, le jeune homme les avait vues de suite, car, à cette heure de l'après-midi, la salle était presque vide. Il avait alors rapidement mesuré l'espace disponible tout autour de lui et, selon son propre code des convenances, s'était assis à l'emplacement exact qui lui permettait de ne pas se sentir trop isolé dans la pièce, sans pour autant lui donner l'impression de s'être littéralement collé aux autres clientes, ce que, bien sûr, il aurait jugé tout à fait déplacé de sa part dans de telles circonstances. Il était bien. Un peu en retrait, mais pas trop, il se savait suffisamment proche pour établir une éventuelle complicité avec ses voisines, comme échanger un sourire, un coup d'œil complice, ou même saisir quelques bribes de leur conversation, tout en se réservant la possibilité de rester à l'écart s'il en ressentait l'envie, coupé du monde, indifférent, étranger. Pourtant, la curiosité le tenaillait. Elle était la plus forte, il le savait, car sa solitude lui pesait et il se sentait disposé à s'intéresser à n'importe quoi qui pût le divertir un peu de lui-même. Il s'était donc installé à cette distance des deux femmes, calculée et respectueuse des convenances, qui lui faisait espérer les délices d'une réelle connivence, si les choses se présentaient bien, sans avoir à redouter pour autant les inconvénients d'une proximité forcée. Plus que tout, il redoutait l'éventualité que son intérêt pour autrui ne se change en véritable punition, dans le cas où l'échange, une fois établi, se révèlerait d'une si piètre qualité qu'il ne puisse que déboucher sur l'ennui. Méfiance! Il existait d'un pays à l'autre de ces bavardes dont il avait déjà fait l'expérience et qu'il ne tenait pas à croiser de nouveau sur sa route. Mais bon… Le juste milieu qu'il avait adopté en choisissant sa place dans le café lui semblait un gage de satisfaction assez rassurant pour qu'il puisse s'installer en toute confiance. Il étira ses jambes paresseusement sous la table et laissa son regard dériver, spontanément interpellé par l'extérieur. Une lumière diffuse perçait les grandes baies vitrées du salon tandis qu'à l'arrière-plan, les eaux glacées et grises de la marée d'hiver commençaient déjà à inonder l'immense place Saint-Marc, remontant par les égouts et s'infiltrant par plaques au creux des dalles de pierre usées.

À cet instant, le jeune homme était convaincu de ne pas avoir attiré l'attention des deux femmes. Tranquillement, il s'était glissé derrière une table et avait sorti un livre, feignant l'intérêt et s'attardant à contempler la sobriété de la couverture de ce *Portrait d'un inconnu* de Nathalie Sarraute, songeant un instant à la complexité de trouver une illustration pour la couverture d'un tel roman, puis, longuement, méthodiquement, son regard s'était mis à l'ouvrage. Il avait ouvert le livre et avait commencé à parcourir le texte, sans même l'avoir vraiment voulu, obéissant, devant les pages écrites, à un ordre muet et impérieux. Cependant, à peine deux paragraphes plus loin, il dut se rendre à l'évidence: il n'avait rien retenu. Les mots avaient défilé sous ses yeux sans qu'il ait le moindrement saisi leur sens. Il avait lu à vide! Contrarié, et avec un soupir d'exaspération, il revint au début de la page et reprit la lecture des mêmes lignes sans enthousiasme. Là encore, ce fut peine perdue. À nouveau, les mots filaient sans qu'il puisse fixer son attention sur aucun. Les lettres, les phrases, les idées semblaient se moquer de lui et valsaient dans un ordre indistinct, tandis que le récit, implacable et ironique, continuait seul son chemin, indifférent à son lecteur. Il fallut recommencer... Inlassablement, indéfiniment, il donna l'ordre à ses yeux de remonter plus haut, sur le coin gauche de la page, et de repartir encore et encore de zéro. Rien n'y fit, et, malgré de nombreux essais, il n'était toujours pas parvenu à dépasser les premiers paragraphes. Sa lecture se bloquait toujours au même endroit, et il lui semblait impossible de passer à la suite parce que, chaque fois, il perdait le sens de ce qu'il lisait. Il déchiffrait des phrases qu'il ne parvenait pas à relier les unes aux autres, dont le sens s'étiolait au lieu de se préciser. Au bout du compte, elles ne communiquaient rien d'autre qu'une musique phonétique. Pendant un temps, il parvenait à s'en accommoder, il essayait de tenir le plus longtemps possible sans comprendre, mais venait toujours un moment où il n'en pouvait plus ; son esprit se révoltait, exigeait une explication, un sens plus clair, et menaçait de se retirer. Et c'était ce qui arrivait. Il s'arrêtait net, au beau milieu d'une phrase, refusait la lecture, refusait de ne plus comprendre, fermait ses yeux comme pour les nettoyer, attendait une seconde et les rouvrait brusquement affichant une expression déterminée, destinée à bien montrer qu'à présent, il était décidé à comprendre ce qu'il lirait, qu'il allait recommencer, faire littéralement du mot à mot, s'attacher à chaque nuance de sens, lisant jusqu'à la ponctuation, et qu'on allait bien voir ! Et ainsi cela se passa-t-il à plusieurs reprises.

Le garçon de salle était venu et il avait commandé un chocolat, d'une part parce que c'était une des rares phrases toutes faites qu'il savait prononcer correctement en italien, et d'autre part parce qu'il pensait que cela lui ferait du bien pour apaiser sa faim persistante et combattre cette humidité qui régnait partout, le pénétrant jusqu'aux os. Il ne savait plus comment se réchauffer. Puis, en attendant le retour du garçon, et pour ne pas s'ennuyer, il s'était employé à mettre au point une méthode d'espionnage très subtile qui lui permettrait de ne pas perdre de vue les deux femmes en face de lui. Car, il l'avait décidé, elles seraient maintenant sa seule distraction.

Il redressa son livre devant lui et laissa dépasser ses yeux au-dessus de la couverture, juste ce qu'il fallait pour apercevoir distinctement ses voisines, tout en donnant l'impression de rester absorbé par sa lecture. Ainsi dissimulé, le jeune homme jubilait d'avance en songeant à ce qu'il allait pouvoir observer et découvrir, à ces petits gestes, ces petites scènes et tous ces échanges, d'ordre privé, auxquels on s'abandonne lorsqu'on se croit à l'abri du regard des autres. Il songeait à son adresse, à son ingénieux passe-temps et à ces manigances qui l'habitaient et l'excitaient plus que tout. Il ne pouvait s'empêcher de se trouver très fort, très habile, face à la situation, et il s'en réjouissait intérieurement.

Que les deux femmes qu'il avait présentement sous les yeux ne fussent ni de la même nationalité ni de la même condition sociale fut une des premières conclusions à laquelle parvint le jeune homme du *Gran Caffè Quadri* après les avoir observées quelque peu. D'ailleurs, elles n'étaient pas du même âge non plus. La plus âgée devait être dans la quarantaine. Elle n'était pas véritablement jolie, mais possédait cette sorte de classe qu'on attribue d'ordinaire aux grandes familles aristocratiques. Le dos droit, le maintien fier – voire un peu austère –, les gestes élégants, une certaine retenue dans la façon de se mouvoir, une lenteur aussi dans l'élocution… Tout en elle était calme et mesuré. En raison de son âge justement, il ne paraissait plus la moindre scorie sur sa personne des contraintes des années d'apprentissage, de sa rigueur et de tous ces efforts qu'elle avait dû fournir autrefois, à n'en pas douter, et mettre au service des codes et des conventions sociales, pendant des années, avant de parvenir à ce naturel désarmant qui la caractérisait aujourd'hui. Oui, il était clair que la jeune fille qu'elle avait dû être avait sans doute éprouvé, en son temps, bien des difficultés avant d'acquérir cette assurance tranquille, et il était clair également qu'elle avait dû franchir de multiples et tortueuses étapes avant de pouvoir feindre cette sérénité discrète et de bon aloi qu'elle affichait à présent sans même s'en rendre compte et qui seyait si bien en toute occasion. Les cicatrices de ces étapes de formation avaient complètement disparu. L'autre femme, en revanche, semblait un produit brut, non éduqué. On l'aurait dite issue d'un milieu peu favorisé, comme si

elle avait poussé sans tuteur, au gré des vents et de sa fantaisie, oscil-
lant entre les bons conseils et les mauvaises habitudes, sans guide,
sans savoir, s'aventurant dangereusement jusqu'aux limites de l'in-
solence, de la vulgarité, du trop d'audace et de l'impardonnable,
gouffre odieux et impitoyable dans lequel elle manquait de tomber
à tout moment. Cela aussi était visible. Elle respirait la spontanéité
et faisait preuve d'une absence totale de réserve. Dominée par une
nature sauvage, indomptée, elle poussait des cris et des exclama-
tions déplacées. Elle était énervée et parlait vite, gesticulait sans
cesse pour un oui et pour un non, et lançait des regards trop
appuyés à travers les fenêtres ou vers le garçon de salle. Manifestement, elle ignorait tout des demi-mesures, de ces coups d'œil
voilés qu'on échange dans les salons ou de ces sourires qu'on
esquisse pour se donner des airs et pour maquiller son visage d'une
expression nouvelle. Elle était beaucoup moins âgée que sa condi-
ciple et, au nom de sa jeunesse justement, il était évident qu'on était
prêt à beaucoup lui pardonner, quoi qu'elle fasse et quoi qu'elle
dise, même en cas de grave indélicatesse. Visiblement, la femme
âgée assumait parfaitement la compagnie qu'elle s'était choisie ; elle
semblait même trouver un certain amusement à s'afficher ainsi avec
cette jeune fille d'une condition plus modeste, dont le comportement s'avérait pour certains quelque peu provocant. C'était sans
doute cela qui expliquait cette manifeste complicité entre deux
femmes pourtant si différentes. Le physique de la plus jeune était
loin d'être désagréable, mais quelque chose d'excentrique jusque
dans sa mise empêchait de la trouver vraiment jolie. Ce qu'elle portait était entaché de cette à peine perceptible et pourtant si tenace
vulgarité – tellement commune qu'elle passe parfois pour du bon
goût – qu'acquièrent certaines femmes à trop vouloir s'arranger et à
calquer jusqu'aux limites du risible les critères de la mode et des
magazines. Au bout du compte, elles finissent par ne plus ressembler à rien, ni à elles-mêmes, ni aux mannequins sur les photos, ni
aux autres, et encore moins à ce fantasme féminin, idéal et inacces-
sible, qu'elles prétendent reproduire. Les deux femmes s'exprimaient en anglais et il suffisait de les écouter trente secondes pour
se rendre compte qu'il s'agissait de la langue maternelle de l'une et

d'une langue d'emprunt pour l'autre. La plus âgée, qui devait venir des États-Unis comme bon nombre de touristes anglophones à Venise, mettait dans sa prononciation et dans la tournure de ses phrases le même soin qu'elle accordait à sa tenue et à ses déplacements, tandis que la seconde parlait avec suffisamment d'accent pour qu'on comprenne qu'elle était Italienne. C'est alors, comme il continuait ainsi à bien les observer, détail après détail, c'est alors qu'une chose bizarre finit par sauter aux yeux du jeune homme...

Il s'agissait d'une perception demeurée jusqu'alors diffuse, dissimulée, astre voilé par les nuages, et qui, tout à coup, se montrait au grand jour, enfin éclose, s'inscrivant par là même clairement pour la première fois à l'esprit du jeune homme. C'était une idée incongrue, du moins dans le cas présent, et le fait qu'elle ait surgi ainsi en plein cœur du *Gran Caffé Quadri* avait quelque chose d'étonnant, qui provoquait une sorte de trouble et de confusion. Non pas que cela fût véritablement nouveau, ni même difficile à croire ou à imaginer, mais il s'avérait tout bonnement que le jeune homme n'avait encore jamais été exposé à cette réalité et que rien, auparavant, n'aurait pu le conduire à une telle observation, ni à cette conclusion à laquelle il venait d'aboutir, qui plus est sans qu'aucune intervention extérieure ne l'ait guidé pour en arriver là. Ce qu'il venait de comprendre, ce constat si simple, si évident pourrait-on dire, et en même temps si particulier, c'est que les deux femmes étaient « ensemble » ; c'est-à-dire pas seulement qu'elles apparaissaient ensemble, mais qu'elles l'étaient dans le sens le plus fort du verbe être, dans son sens le plus intime et le plus personnel. Aussi étrange que cela pût paraître, aussi marginal, insolent, fascinant ou absurde que cela fût, les deux femmes étaient « véritablement » ensemble et formaient un couple. Ce n'était qu'une impression, bien sûr, une sorte d'intuition, mais de la justesse de cette intuition, à cet instant, le jeune homme ne parvenait plus à douter le moins du monde. Et de la même façon qu'il vit que c'était un couple sans y avoir le moindrement été préparé, même s'il ne l'avait jamais observé auparavant, et même s'il n'avait encore aucunement envisagé qu'une telle chose puisse exister, grâce à cette même sensibilité subtile et indéfinissable qui semblait s'être emparée de lui, et surtout grâce à ce don nouveau qu'il se découvrait pour appréhender les êtres et les faits, comme une sorte de talent, grâce à cela donc, il sut également, que dans ce couple, il y avait l'argent. Non seulement c'était un couple, mais c'était un couple acheté. Sur cela aussi le jeune homme avait une intuition aussi sûre qu'un décret. Rien pourtant ne pouvait inciter à penser cela, rien de criant ou de différent ne pouvait le laisser soupçonner, mais le jeune homme le savait : l'argent était là, entre elles deux, qui trônait comme un monarque, impérieux, suprême et majestueux, indélogeable, plus fort que les conventions, que n'importe quel sentiment et, surtout, plus fort que les deux femmes elles-mêmes. Il y avait un achat de l'une par l'autre ; c'est-à-dire une volonté de s'approprier un corps étranger en échange de biens matériels, d'une sécurité financière, d'un confort ou de toute autre chose monnayable. Il existait une prise de possession de l'une par l'autre, une mainmise, un pouvoir. Quant à l'amour, ça, nul n'aurait su le dire. Cela ne signifie pas forcément qu'il n'était pas là, ni même que tout dans cette scène en était totalement dépourvu, mais cela signifie en revanche que l'échange était un peu truqué, un peu bousculé, comme un contrat prématurément signé, et que la relation entre les deux femmes n'avait pas encore eu le temps de mûrir d'elle-même. Les rôles étaient plus interprétés que vécus et, comme les pieds des Chinoises d'autrefois, comme les racines et les branches des bonsaïs, les développements de cette relation avaient été forcés, conduits par la contrainte et non selon une inclination spontanée et profondément ressentie. Les fruits avaient été cueillis encore verts et la jeune Italienne ne devait pas connaître la femme des États-Unis depuis plus de quelques jours, quelques heures peut-être même, et puisque la nature de leur relation le voulait ainsi, sans doute allaient-elles se séparer d'un jour à l'autre, d'un instant à l'autre, sans qu'elles n'expriment aucun regret à l'idée d'en arriver là, assumant pleinement avec sa fin le caractère éphémère du jeu. Une seconde avant, elles seraient ensemble et bienheureuses ; la seconde d'après, elles seraient séparées et indifférentes. Tout s'arrêterait entre elles dès que la nécessité du départ de Venise se ferait sentir chez la femme des États-Unis et dès que l'appel ou la loi du retour reviendraient s'imposer. La jeune Italienne chercherait alors une autre relation du même ordre, qui prendrait soin d'elle pour quelque temps encore, tandis que la femme des États-Unis redeviendrait ce qu'elle était avant Venise, puisque retourner, c'est toujours revenir à ce qu'on était avant. À moins que la lassitude de l'une ou de l'autre ne provoque une rupture anticipée, à moins que l'ennui ne surgisse, pernicieux, jusqu'à tout envahir, y compris les lieux et les instants, ou à moins que l'argent ne vienne à manquer, car c'était là une autre éventualité, mais celle-ci, bien sûr, ni l'une ni l'autre des deux femmes n'aimait l'envisager. Pour l'instant cependant, alors que le jeune homme venait tout juste de déposer devant lui la tasse de chocolat que le garçon lui avait apportée, accompagnée de moult petits pots, récipients divers, soucoupes et couverts gravés aux armes du café, la lassitude était loin encore d'avoir fait son apparition entre ses deux voisines. La femme des États-Unis, irrésistiblement attirée par sa compagne, se sentait visiblement très bien et très proche de la jeune Italienne qui, de son côté, joviale et délirante, riait sans cesse, mais cependant encore un peu trop, trop fort et trop régulièrement pour que, une fois de plus, on puisse la croire naturelle. En fait, tout comme sa soi-disant beauté, le rire de la jeune Italienne étincelait autour d'elle, mais ne parvenait pas à paraître autre chose qu'un artifice de plus, sans fondement et sans sincérité, léger comme une pacotille, versatile et creux. Il résonnait partout avec la générosité d'une breloque sans valeur, se cognant encore et encore sur les murs de la salle, se répercutant dans les moindres recoins, s'accrochant à la moindre aspérité, indéfiniment, répondant à sa façon au vernis à ongles rouge violent, aux lèvres criardes, mais ce clinquant, cet aspect joué et le caractère artificiel de la scène, la femme des États-Unis ni ne le voyait ni ne l'entendait; peut-être en était-elle confusément consciente et se refusait-elle à le reconnaître par peur du gouffre qui se serait alors ouvert devant elle et dans lequel, irrémédiablement, silhouette gesticulante et ridicule, elle aurait chuté en hurlant et dans lequel aussi, à jamais, elle aurait disparu.

Le jeune homme seul à Venise en était là dans ses observations quand le ton de la conversation des deux femmes assises face à lui s'était soudain élevé. Les voix s'étaient faites plus fortes, le débit des mots, plus pressé. Quelque chose de fébrile s'était tendu entre elles deux et flottait au-dessus de leur table aussi lourd qu'un nuage d'orage qui menace de crever. Le jeune homme ne saisissait pas bien. La femme des États-Unis tenait un objet dans sa main qu'elle montrait de temps en temps à sa compagne et qu'elle cachait aussitôt, refermant le poing avec rage chaque fois que la jeune Italienne manifestait l'intention de s'en saisir. Manifestement, on pouvait regarder, mais il n'était pas question de toucher. Après plusieurs minutes de ce petit manège, le problème n'était toujours pas réglé. La tension ne s'était guère assouplie, et entre elles semblait perdurer cet écho d'animosité qui les animait secrètement et les éloignait l'une de l'autre, tout en les gardant malencontreusement unies par l'adversité. Loin de se calmer, le débat n'en finissait pas, atteignant une intensité nouvelle qui risquait, à partir d'un rien, d'un mot, d'un geste, d'un sous-entendu même, de les entraîner à n'importe quel moment sur le terrain glissant de l'affront et de l'impardonnable. Et alors la colère les emporterait, les rendrait folles, les pousserait à dire ces choses que l'on regrette aussitôt prononcées, et les conduirait ensuite à faire ces gestes qu'on voudrait arrêter à peine ébauchés, mais qui s'accomplissent d'eux-mêmes, implacables, parce que l'élan du mouvement, mais peut-être aussi la fierté et l'orgueil, sont plus forts que la raison et qu'ils nous poussent, la plupart du temps, à atteindre ce qu'il y a de plus extrême en nous, ce qu'il y a de plus définitif, sans considération aucune ni pour les conséquences en tous genres ni pour les dégâts de l'âme offensée, qui n'oubliera jamais. Non, ni l'une ni l'autre ne parvenait à donner de réponse à la question qui les préoccupait, et comme il fallait bien parvenir à un consensus, ne serait-ce que pour retrouver leur paix à présent menacée, la femme des États-Unis s'était tournée brusquement vers le jeune homme, toujours à demi-caché derrière son livre et qui tripotait, l'esprit ailleurs, la cuillère de sa tasse qui trempait nonchalamment dans le chocolat chaud.

Sans doute à cause de l'agitation et de l'énervement, et bien qu'il conservât les traces de cette distinction que la femme des États-Unis affichait si naturellement malgré tout et par-delà ses propres émotions, le visage qu'elle offrit en se tournant parut un peu empourpré, sujet à de vives impulsions que rien ne parvenait à calmer, si bien que le jeune homme se rendit compte que la femme des États-Unis était envahie par une profonde exaspération. Dans le même élan, il devina qu'à cet instant, la femme des États-Unis ne supportait plus du tout la jeune Italienne, qu'une rupture venait de se produire, là sous ses yeux, et qu'elle en avait véritablement assez d'elle, de sa jeunesse arrogante et creuse, de son ignorance permanente, de sa vulgarité sous-jacente et omniprésente, autant de sources d'irritation que la femme des États-Unis n'avait probablement pas manqué de percevoir dès le premier regard. Les défauts que l'on pardonne à l'être aimé lorsqu'on vient de le rencontrer ne nous apparaissent que plus obsédants et insoutenables lorsqu'on décide un jour de ne plus les accepter. Alors, ils nous sautent aux yeux à la moindre occasion, d'autant plus exagérés qu'on a voulu les passer sous silence trop longtemps. La femme des États-Unis en était justement là, à ce tournant de l'humeur qui rend brusquement odieux ce qui nous semblait encore adorable quelques secondes auparavant.

Totalement fasciné, le jeune homme seul à Venise découvrait cette colère qui montait en elle, se nourrissant d'une énergie mauvaise qu'elle puisait à même son corps. Elle était à la limite de partir, c'était visible, de se lever et de s'enfuir, là, comme ça, de sortir d'un coup et de ne plus jamais revoir la jeune Italienne, de l'abandonner définitivement dans un geste théâtral et dramatique. Et il faut dire qu'elle en avait le pouvoir, la femme des États-Unis, elle avait tous les pouvoirs puisque c'était elle qui avait l'argent, et elle qui avait lancé la transaction. Et la jeune Italienne n'aurait pu que se taire et accepter. Pour une fois.

Elles en étaient donc là, toutes les deux, à ce point dans leur conflit, lorsque la femme des États-Unis s'était finalement détournée de sa compagne pour s'incliner vers le jeune homme. Une simple rotation du bassin avait suffi et c'était tout son corps maintenant qui faisait face au jeune client du *Gran Caffè Quadri*. Elle avait levé les yeux au ciel, toujours en proie à cette même et vive agitation qui visiblement l'insupportait au plus haut degré, puis elle avait pris le temps de se calmer et de souffler un peu avant de s'adresser à lui. Lentement, alors que sa respiration avait repris un cours normal, elle s'était penchée vers son interlocuteur, enfonçant son regard figé dans les yeux vacillants de celui-ci et, d'un ton presque autoritaire, à la limite de l'affirmation, mais usant néanmoins d'une certaine douceur, avec cet accent anglais très fort qui lui donnait une majesté naturelle, ici, dans le cadre de Venise, elle avait répété cette question qu'il n'avait pas saisie à la première écoute parce qu'elle était prononcée par une étrangère, d'une façon qui rendait presque chaque mot méconnaissable, tandis que la voix résonnait longuement dans la pièce et se révélait rocailleuse :

– C'est un mâle, n'est-ce pas ? Un mâle.

Toujours penchée vers le jeune homme, la femme des États-Unis avait alors enfin déplié lentement ses doigts. Le jeune homme n'avait pas cherché tout de suite à discerner l'objet contenu au creux de la paume de la femme des États-Unis car, avant même de songer à donner une réponse, quelle qu'elle fût, il s'était senti envahi d'un tel sentiment de fierté et de puissance que la tête lui tournait presque. On s'était adressé à lui ! Quelqu'un, à Venise, après toutes ces journées de silence, quelqu'un l'avait choisi, lui, comme interlocuteur et, de plus, le chargeait de l'immense responsabilité d'intervenir dans un débat qui, il n'en pouvait douter, devait être de première importance. Quel honneur ! Quelle gloire pour lui et quelle confiance de la part de celle qui le dévisageait maintenant tranquillement en attendant sa réponse. Comme cette simple question lui conférait implicitement de l'importance et du prestige ! Comme il pouvait lire cela dans la sérénité qu'affichait face à lui la femme des États-Unis qui semblait si sûre déjà de l'avoir acquis à sa cause et d'avoir fait de lui un allié, d'un simple mot, par son seul regard. Tout en elle, en effet, indiquait qu'elle ne voyait dans sa question qu'une simple formalité, comme s'il se fût agi d'une vérification anodine dont l'issue lui était forcément favorable et connue d'avance. Le jeune homme, de son côté, contemplait cette proposition d'alliance qu'il devinait dans le regard de la femme des États-Unis et, tout en se sentant flatté qu'on ait pu l'interpeller, lui et aucun autre, pour conclure un tel pacte, il ne parvenait pourtant pas à manifester tout de suite son assentiment et à ratifier cette entente qu'on lui proposait. Il ne parvenait pas plus, d'ailleurs, à exprimer sa reconnaissance face à ce choix, ni même à témoigner ce minimum d'empressement que la femme des États-Unis devait très certainement attendre de lui à ce moment-là. Non, il n'y parvenait pas. Et tout en ressentant confusément ce que son attitude, son silence et sa lenteur pouvaient avoir de blessant pour son inter-locutrice, il s'abandonnait tranquillement à cette sensation de bien-être qu'il avait attendue depuis son arrivée à Venise et qui venait de prendre possession de lui.

Gonflé d'orgueil, honoré jusqu'à la folie, le jeune homme seul à Venise s'attardait à jouir du bonheur de se sentir enfin exister. Cependant, abandonné tout à son plaisir, il sentait avec de plus en plus d'acuité que le temps était compté pour lui. Un vaste chronomètre venait de se mettre en marche dans le salon et mesu-rait avec précision la longueur de cette attente qui, par sa faute, était en train de naître et de s'installer. Il en voyait avancer les aiguilles inexorablement, et celles-ci lui rappelaient à chaque seconde que nulle patience n'est infinie et qu'il lui fallait réagir, faire un geste ou prendre une décision. C'était urgent! En aucune façon, en effet, n'aurait-il voulu donner l'impression à sa chère complice qu'il fai-sait preuve de mauvaise volonté ni qu'il faisait exprès de prolonger inutilement son silence. Pour rien au monde n'aurait-il voulu paraître impoli, ou distant, et donner l'image de quelqu'un qui se serait désintéressé d'elle et de son propos, pis encore, de quelqu'un qui serait allé jusqu'à la désapprouver, plus ou moins ouvertement, et qui, par là même, aurait été capable de la contredire d'un instant à l'autre. Il imaginait avec terreur la désillusion de cette noble femme s'il fallait que son attitude à lui puisse la renvoyer tout à coup seule face à son dilemme et face à la jeune Italienne. Quelle suprême offense... Non, cela non, il ne le voulait pas. Et pourtant, en même temps, voici qu'il ne parvenait pas à venir à son secours, à marcher vers elle d'un pas sûr pour répondre ces mots d'approba-tion qu'elle attendait de lui. Il n'y parvenait pas tout simplement parce qu'il n'avait pas encore bien pu observer l'objet de ce débat dans lequel on lui demandait d'intervenir. Qu'y avait-il de caché exactement dans la main de la femme des États-Unis? Il ne le savait pas encore et, en conséquence, il ne tenait pas à se prononcer tant qu'il n'aurait pas eu le temps de voir et de réfléchir à sa guise. Il était ainsi. Il détestait agir sous pression et celle qu'il sentait à présent grandir autour de lui le dérangeait beaucoup. Mais quoi? Il n'allait quand même pas abonder dans un sens juste pour faire plaisir à quelqu'un qu'il connaissait à peine? Il n'allait quand même pas acquiescer, du tac au tac, comme ça, et affirmer n'importe quoi, simplement pour la satisfaction d'une inconnue, parce qu'elle lui plaisait et qu'elle avait de belles manières? Non, au contraire... Il lui semblait justement que l'importance de la tâche qu'on lui avait confiée exigeait de lui un maximum de sérieux, d'objectivité et de recul. Il lui semblait que, plus que jamais, il lui fallait en cet instant faire preuve d'une absolue rigueur. C'était là le seul moyen pour demeurer à la hauteur de la confiance dont on l'honorait. Oui, il lui fallait éviter les *a priori* et les emportements trop faciles. Il se rendit compte alors qu'il n'avait pas d'autre choix que d'analyser la situation sérieusement et ensuite, seulement, pourrait-il répondre.

Il entreprit de s'employer aussitôt à cette tâche, quitte à prolonger de quelques secondes encore ce silence et cette situation qu'il avait créés et qui, pourtant, n'avaient déjà que trop duré. D'une certaine façon, cela le contrariait. Il se sentait prisonnier de sa bonne volonté, de son désir de bien faire. Il se voyait tiraillé entre son espoir de satisfaire l'attente de la femme des États-Unis et son sens de l'honneur, de la vérité, qui primait malgré tout et lui imposait de ne dire que ce qu'il pensait vraiment. Alors il redressa la tête, à nouveau déterminé, confiant et plein d'assurance.

Il allait répondre. Oui, il allait trancher, et il se promettait déjà de mettre dans son jugement tout le sérieux dont il était capable, toute sa sensibilité, son art, en admettant qu'il en possédât un. Non seulement allait-il répondre, mais il donnerait à sa sentence un caractère si solennel que les deux femmes lui en seraient profondément reconnaissantes. Si reconnaissantes, il le pressentait déjà, qu'elles l'inviteraient aussitôt à leur table et qu'elles feraient de lui un des leurs, et cela à jamais. Désormais, il appartiendrait à la même caste qu'elles. Elles l'adopteraient comme un petit enfant perdu qu'il était et elles n'auraient plus d'autre choix que de le garder avec elles, partout, en tout temps. Il serait dès lors associé à leur séjour, à leurs préoccupations, à leurs moindres instants. Tout partager! Oui, ils allaient tout partager. Un avenir nouveau s'ouvrait devant lui. Prometteur et riche. C'en était fini de son errance et de sa misérable condition. À présent, il ne serait plus seul, plus jamais seul à Venise, et il deviendrait leur arbitre, ce serait son titre officiel, l'arbitre des causes difficiles, des joies comme des peines, sans cesse consulté et sans cesse écouté, reconnu, approuvé, sollicité. Avec elles, il en était sûr, il allait tout reprendre, tout recommencer. Les portes des musées allaient s'ouvrir, l'opéra ne serait plus complet, les restaurants deviendraient accessibles, l'italien ne serait plus une langue étrangère. Ce serait sa récompense. Tel était son destin, son devenir à Venise. Il en était sûr. Il savait. Tous trois ne feraient plus qu'un. Ensemble, ils auraient des discussions sans fin, des nuits d'amour, d'autres voyages, d'autres projets. À ces seules pensées, le jeune homme se sentait revivre et, d'ailleurs, il renaissait véritablement, là, dans ce salon du *Gran Caffè Quadri*. Son imagination vagabondait dans tous les sens. Il ne doutait plus de rien. Il était fort de ses convictions, du caractère essentiel du rôle qu'on venait de lui attribuer, et fort aussi de la certitude qu'une gratitude infinie allait s'étendre sur lui d'un instant à l'autre et l'envelopper à jamais, des pieds à la tête, comme un velours épais à la fois lourd et caressant. Et c'est ainsi, dominé tout entier par cet état d'esprit du vainqueur, emporté par une immense confiance, qu'il se décida, puisqu'il le fallait, à se pencher vers la main de la femme des États-Unis pour déterminer, une bonne fois pour toutes, ce qu'elle recelait.

Lorsqu'elle vit que son interlocuteur s'inclinait vers sa main tendue, la femme des États-Unis leva sa paume jusqu'au niveau du visage du jeune homme. Celui-ci découvrit alors, sur le plat de cette main, un large disque, ciselé et fin, qui brillait sous la lumière. C'était une pièce de monnaie, en nickel ou en métal argenté, comme ces grosses pièces de dix francs que le jeune homme avait connues dans son enfance et qu'il avait reçues parfois en étrennes, à Noël et au jour de l'An, ou s'il avait été très sage, ou encore si ses résultats scolaires lui avaient valu des éloges particuliers. Sur la partie visible de la pièce était gravé le profil d'un personnage de l'Antiquité ; les épaules couvertes d'un drap qui aurait pu être une toge, le front couronné de laurier, le nez fort, le regard fixe et creux, sans âge, sans sexe. Et alors que le jeune homme écarquillait les yeux pour se faire une idée plus précise au sujet de ce mystérieux visage, la femme des États-Unis avait répété sa question, mais cette fois sur un ton presque suppliant, dominé par la lassitude et par l'ennui, et dans lequel ne demeurait presque plus rien de la belle certitude et du caractère affirmatif qu'elle avait manifestés auparavant avec tant d'autorité.

– C'est un mâle, n'est-ce pas ?

Et elle se tut.

Un « mâle » ? Que voulait-elle dire par un « mâle » ? Ah, un homme ! C'est un homme qu'elle voyait sur la pièce. Ainsi, tout le litige était là. La femme des États-Unis prétendait que le visage de la pièce était celui d'un homme, tandis que la jeune Italienne prétendait qu'il s'agissait de celui d'une femme. C'était cela qui les opposait ! Cela qui les avait conduites à un tel affrontement verbal, à lever le ton de cette manière, et qui les avait fait échouer, déjà presque brouillées, aux rives de la rupture et de la séparation. Comme elles étaient étranges, et quelle situation ridicule était la leur ! Le jeune garçon mesura du coup à quel point son rôle demeurait essentiel, ce qui ne manqua pas de le combler d'aise, mais surtout, il se réjouit de le trouver en apparence si facile à remplir. Il était persuadé de pouvoir l'assumer sans rencontrer le moindre obstacle et il ne doutait pas qu'il lui serait fort simple de déterminer, d'un coup d'œil, rapide et assuré, de quoi il retournait exactement. Il se voyait déjà donner raison à l'une ou à l'autre des deux femmes avec méthode et en fournissant toutes les justifications nécessaires, tout en prenant garde de ne pas blesser celle qu'il ne pourrait approuver. Il saurait prendre les mesures indispensables pour cela, il en était sûr, user de certaines précautions, adopter une attitude conciliante et faire appel à d'ultimes ruses langagières, car l'art de prendre soin de la susceptibilité d'autrui ne lui était plus étranger depuis longtemps déjà. Alors, il recevrait cette immense et noble récompense qu'il avait imaginée spécialement pour lui et à laquelle il rêvait, persuadé qu'il la méritait plus que quiconque, qu'elle lui reviendrait comme un dû. Ah, quel bonheur cela serait… Il était convaincu qu'il n'aurait aucune peine à trancher, à dire, à déterminer. Il était l'arbitre et, à ce titre, il voulait s'engager à demeurer à la hauteur de la tâche que tous, y compris lui-même, lui avaient fixée. On lui demandait de se prononcer, il allait le faire. Là, d'un instant à l'autre… Il ne suffirait que de quelques secondes, d'un regard jeté, d'un clignement d'yeux, mais sur ce point, pourtant, il se trompait.

Un demi-sourire aux lèvres, le jeune homme seul à Venise s'était penché vers la grosse pièce argentée, mais dès qu'il eut discerné un peu plus précisément l'image de la pièce, sa belle assurance fit place à la consternation la plus totale. Il avait beau détailler un par un tous les traits du visage qu'on lui soumettait, il avait beau s'acharner, ouvrir grand les yeux, privilégier alternativement une vue globale du personnage ou une observation scrupuleuse des détails, comme à la loupe, au bout du compte, rien n'y faisait. Il dut s'avouer alors dans une sorte de mouvement d'horreur qu'il lui demeurait tout à fait impossible de déclarer avec certitude si l'effigie correspondait à celle d'un homme ou à celle d'une femme. Non seulement n'y parvenait-il pas, mais il se sentait réellement vide de toute opinion. Cette image ne lui inspirait rien. Il n'avait pas le moindre début de piste. Il avait beau la fixer, il ne découvrait pas le plus petit indice qui aurait pu le pousser à émettre ne serait-ce qu'un simple avis. Son instinct ne l'inclinait dans aucune direction. Aucune voix ne s'était éveillée en lui pour l'inciter à pencher vers un quelconque pressentiment, aussi vague, malhabile ou incertain pût-il être. Du coup, il restait là, perplexe, à avancer et à reculer son visage – au point qu'il avait parfois le nez si proche de la pièce qu'il aurait presque pu la toucher. À défaut, il sentit parfaitement les effluves du parfum de la femme des États-Unis qui se dégageaient de son poignet. Un instant, il oublia tout pour s'abandonner au flux des odeurs nouvelles, puis, très vite, l'urgence de sa mission l'envahit de nouveau. Vraiment, se prononcer était impossible. L'image qu'il avait sous les yeux était tellement ancienne ; elle correspondait à une façon de rendre le réel, de retranscrire les expressions, si différente de celles qu'on avait utilisées depuis, à travers les siècles, et encore plus de celles auxquelles on était familier aujourd'hui. Le jeune homme seul à Venise ne parvenait à se raccrocher à aucun repère connu. Il se sentait incapable de décréter que ces traits étaient à coup sûr ceux d'une femme ou ceux d'un homme ; il lui semblait plutôt qu'il pouvait parfaitement s'agir de l'un ou de l'autre, selon la façon dont on observait. Le plus troublant était que les mêmes détails le poussaient vers les deux conclusions à la fois. Il observait le nez et il songeait : « Voilà bien, absolument, le nez d'un homme » et, dans la même seconde, une autre voix en lui s'écriait : « Oui, et c'est là aussi absolument le nez d'une femme ! » Et il en allait de même pour tous les éléments qu'il scrutait attentivement, les uns à la suite des autres. Il en était ainsi pour l'ourlet des lèvres, le renfoncement des yeux, la courbe du menton, le dessin du front ou l'ondulé de la coiffure. Plus il cherchait, et plus le jeune homme seul à Venise s'égarait, tandis que la pièce, muette et impitoyable, refusait toujours de lui livrer son secret.

Peu à peu, le demi-sourire qu'affichait encore le jeune homme seul à Venise commença à s'estomper, jusqu'à s'évanouir complètement. Il sentit son sang quitter ses joues et devint aussi pâle qu'un mort. Il venait de saisir l'ampleur du désastre qui s'étendait désormais sous ses yeux, et il se mit à contempler ce spectacle comme les plaines d'un champ de bataille, sinistres et désolées. Car le constat était simple : il n'allait pas répondre. Pire encore, il allait devoir avouer qu'il ne savait que dire. Cette seule perspective le glaçait littéralement. De quoi aurait-il l'air ? Incapable de répondre à une question si simple en apparence. Il redoutait plus que tout de ressembler à ces éternels indécis qui n'arrivent jamais à prendre la moindre décision, surtout à voix haute et devant quelqu'un, à ceux qui ont peur de formuler la plus anodine opinion. Il ne voulait surtout pas qu'on puisse penser qu'il manquât de réflexion ou qu'il souffrît d'une incapacité chronique à défendre une position. Or, voilà qu'il allait être comme eux ! Voilà qu'il allait être un vide, un indécis, un « je n'existe pas », un « je ne compte pour rien », un

« faites comme si je n'étais pas là » ! Voilà qu'il allait faillir à sa tâche… Son projet était ruiné. C'était l'échec. Un échec d'autant plus effroyable qu'il y était d'autant moins préparé. Il avait tout envisagé depuis son entrée dans le *Gran Caffé Quadri*. Mentalement, il avait passé en revue chaque possibilité et avait considéré la moindre éventualité. Mais il en restait une à laquelle il n'avait osé songer : c'était l'impasse !

Le jeune homme seul à Venise n'était pas de ceux qui doutent de leurs capacités. Il en avait et il le savait. Il aimait en parler, les mettre en évidence, souligner leur noblesse et faire sans cesse la démonstration de ses innombrables talents. En général, il était plutôt fier de sa facilité à s'exprimer. Depuis toujours, il avait beaucoup pensé et, somme toute, peu douté. Il n'était absolument pas préparé à la possibilité d'un échec sur ce plan, encore moins face à un si petit défi. Dès les premières minutes de leur confrontation, devant les deux femmes de la table voisine, il avait été persuadé qu'il serait à la hauteur de la situation, que si l'on avait fait appel à son jugement, c'était forcément qu'il serait, qu'il devait être en mesure de répondre aux attentes qu'on lui avait fait l'honneur de placer en lui. Comment pouvait-il se retrouver à présent sur le point d'échouer si misérablement ? Que s'était-il passé pour que le cours des événements se soit ainsi détourné ? Où était sa faute ? Son erreur ? Et quelle était cette aberration qui avait conduit à ce que tout lui échappât de la sorte ? Il sentait son esprit déserté, qui sonnait aussi creux qu'un écho perdu dans une caverne profonde, tandis que toute initiative le fuyait comme un sable trop fin qui glisse entre les doigts sans qu'on puisse le retenir. Il ne comprenait pas. Alors que Venise s'était enfin adressée à lui – pour une fois ! – alors que cette chose tant attendue était enfin arrivée, que le rêve inespéré était devenu réalité, voilà qu'en retour, il n'avait à offrir qu'impuissance et consternation ; voilà qu'il n'aurait aucun rôle dans ce rêve, que tout s'arrêterait là, et que son nom resterait associé à ce silence ridicule. Son mutisme était la pire des choses. Il se sentait en dessous de tout, paralysé, n'osant accomplir le moindre geste, ne serait-ce qu'un haussement d'épaule, qui n'aurait que souligné encore plus son ignorance, et il contemplait l'horreur de sa défaite, tandis que des frissons de rage et de désespoir le faisaient tressaillir de la tête aux pieds.

Déjà, la femme des États-Unis commençait à manifester des signes de lassitude. Elle semblait de plus en plus fatiguée de tenir ainsi son bras toujours tendu, paume ouverte. De plus, elle ne parvenait pas à dissimuler un certain étonnement, une stupéfaction même, en découvrant le malaise qui s'était emparé du jeune homme. Non, elle ne parvenait pas à comprendre comment une question, somme toute anodine, et qu'elle avait posée plus par jeu que par souci de révéler une quelconque vérité historique, avait pu le plonger si subitement dans un tel état. Elle s'était adressée au jeune homme dans la seule intention de mettre fin à la stupide dispute qui l'opposait à sa compagne. Elle avait espéré pouvoir bénéficier de la complicité de cet inconnu pour éviter l'épuisante querelle dans laquelle elle se sentait déjà trop embourbée. Quand elle avait posé sa question, elle n'avait pas attendu de réponse précise. N'importe quelle repartie aurait fait l'affaire. N'importe quoi! – du moment qu'elle pût enchaîner aussitôt sur un trait d'esprit, puis conclure dans un rire et clore la dispute d'un baiser. Voilà tout ce qu'elle attendait. En somme, presque rien du jeune homme, et presque tout d'elle-même. Mais voilà que la machine s'était enrayée. Les rouages n'avaient pas fonctionné; le processus ne s'était même pas rendu jusqu'à lui donner la possibilité d'un trait d'esprit, et encore moins d'une réconciliation. Le mécanisme s'était bloqué là, juste avant, au milieu, prisonnier de l'esprit du jeune homme. On ne lui répondait pas! On la regardait avec de grands yeux, une sorte d'air stupide, mais on ne lui répondait pas! Elle faisait le constat de ce silence entre eux, qui s'éternisait depuis qu'elle avait posé sa question; elle pouvait en mesurer l'aberrante disproportion, en constater tout le caractère anormal, qui en faisait un véritable phénomène, une source de curiosité, étrange et un peu hors norme, comme une faute de goût. Elle ne comprenait pas pourquoi la réponse tardait à ce point et, malgré tout intriguée, elle cherchait avec curiosité où pouvait bien résider la difficulté derrière sa demande? Comment une question si insignifiante, si futile, et qui n'engageait en rien le jeune homme, qui n'exigeait aucun effort, aucun investissement personnel, qui ne possédait aucun caractère intime ni indiscret, et qui ne nécessitait aucune culture particulière, comment avait-elle pu entraîner une telle perplexité? Comment cette rapide consultation – formulée sur un ton qu'elle avait voulu débonnaire, comme un clin d'œil, une complicité offerte – avait-elle pu déboucher sur un dilemme apparemment si cruel? Comment une simple plaisanterie, une devinette qui aurait dû se régler en quelques secondes à peine, comment cette vague invitation à participer à son jeu, oui, comment tout cela était-il parvenu à de telles proportions? Du gros bon sens! Voilà ce qu'attendait la femme des États-Unis! Un « oui », un « non » : rien de plus. Même pas de justification. Pas le moindre commentaire. Surtout pas! Qu'il n'aille pas se croire autorisé pour autant à engager la conversation, ou quelque chose comme ça! Ah! ça non! Il n'en était pas question… Un mot, et c'était tout… Un sourire, même, aurait suffi. Or, au lieu de cela, à quoi avait-elle eu droit? À cet état de stupeur qu'elle contemplait maintenant, profondément étonnée à son tour, face à ce jeune homme, de plus en plus pâle, toujours figé et pourtant si nerveux.

Elle n'en croyait pas ses yeux, la femme des États-Unis, et songeant à cela, elle comprit que le jeune homme s'était imposé un défi trop important pour lui, que quelque chose n'allait pas dans son attitude et qu'il fallait qu'elle intervienne, qu'elle abrège d'elle-même cette malheureuse situation, car il en allait de sa santé à lui, et de son équilibre. Aussitôt décida-t-elle de renoncer à son attente, de mettre un terme à cet état d'impuissance, à cette mise entre parenthèses d'eux-mêmes, qui les mettait tous mal à l'aise, bien plus que de raison. Elle voulut le soustraire à sa propre lutte, le libérer de son extrême ambition, de son orgueil démesuré, et, comme on ouvre la porte de sa cage à un oiseau prisonnier, comme on cache à la personne qui souffre l'étendue de son mal, ou comme enfin on atténue les circonstances tragiques d'un événement douloureux, dans l'intention de l'épargner, de le soustraire à cet affreux problème, à cette énigme sans solution, elle entreprit de replier ses doigts un par un sur le disque de métal, le dissimulant peu à peu à la vue du jeune homme et lui offrant ainsi le soulagement d'un reposoir. Sans rien vouloir brusquer, sans transition brutale, elle ramena lentement son bras vers elle puis, de ce même mouvement rotatif du bassin qu'elle avait utilisé précédemment pour faire face au jeune homme, elle se détourna totalement de lui, replaçant son corps et son visage exactement dans l'axe du corps et du visage de sa jeune compagne.

Avant que la main de la femme des États-Unis se referme tout à fait, le jeune homme seul à Venise avait jeté un dernier coup d'œil à la pièce, espérant un sursaut, une illumination soudaine, une ultime audace qui l'aurait poussé finalement à répondre quelque chose, n'importe quoi, ce qui lui aurait paru le plus vraisemblable, le plus satisfaisant, le plus probable. Mais ce fut en vain, rien ne se présenta à son esprit. Il se sentait toujours aussi vide, inutile. Alors, il lui fallut se rendre à l'évidence : il ne répondrait pas, il avait échoué. Pas un mot par lui ne serait prononcé. La question de la femme des États-Unis allait rester sans écho pour toujours dans sa bouche. Tout ce qu'il avait pressenti depuis ces longues minutes, tout ce qu'il avait redouté de plus terrible au fond de lui était devenu réalité.

Jusqu'au dernier moment, il avait espéré s'en sortir, éviter la catastrophe, mais l'échec était là, concret, palpable. Pour la première fois, il réussit à l'admettre. Il fallait à présent le regarder bien en face, le reconnaître comme sien et apprendre à accepter tout de lui. D'un coup, il mesura toute l'horreur des conséquences que cela pourrait impliquer et, dans un pitoyable réflexe de protection, espérant ainsi s'arracher à ce qu'il était en train de vivre, le jeune client du *Gran Caffè Quadri* ramena brusquement son regard devant lui. Il était humilié.

Les yeux baissés, il se disait qu'il n'oserait plus jamais regarder de nouveau vers les deux femmes de la table voisine. Elles étaient perdues pour lui. Un fossé infranchissable les séparait désormais. Il se saisit de son livre avec l'énergie du désespoir et s'empressa de le tenir tout droit au niveau de son visage en guise de rempart et de protection. Quelques secondes seulement s'étaient écoulées depuis le moment où la femme des États-Unis l'avait interrompu dans sa lecture pour lui poser sa question, mais cela lui paraissait un siècle déjà, comme si ce moment appartenait à une autre partie de sa vie. Impossible de se souvenir du passage ou de la page où il s'était arrêté. Impossible de savoir où reprendre. D'un doigt nerveux, il chercha à trouver un repère, un mot, une forme de paragraphe, une séparation dans la page. Il ne trouva rien. Paniqué, se sentant observé et ridicule, il planta les yeux sur n'importe quelle phrase, totalement au hasard. Pitoyable recours qui, d'après lui, ne duperait personne, ou guère longtemps, mais il se contentait de ce qu'il avait sous la main et ce subterfuge était le plus acceptable dont il pouvait disposer dans l'immédiat. Il essayait de se calmer, d'avoir l'air naturel et faisait tout pour afficher un air serein même si ses manœuvres, maladroites et précipitées, ne l'aidaient en rien. Tout comme à ses premiers instants dans le *Gran Caffè Quadri*, alors qu'il venait à peine de s'asseoir à une table et qu'il avait ouvert son livre sans parvenir à le lire, il ne parvenait pas plus à comprendre ce que ses yeux étaient en train de parcourir, mais cela ne lui importait guère. Comme il aurait aimé s'enfuir, disparaître, mais même à cela il ne pouvait se résigner, incapable d'accomplir ne serait-ce que le premier geste qui l'aurait mené à la délivrance. Et puis la fuite, la honte de se récuser, ce n'était pas pour lui. Il en avait déjà trop fait, maintenant il ne bougerait plus. Il lui fallait rester, spectateur de sa déchéance, il lui fallait payer pour ses folles ambitions, ses prétentions démesurées, et boire la coupe jusqu'à la lie.

Tandis que le jeune homme seul à Venise se débattait dans sa tourmente, couvert de honte, les deux femmes du *Gran Caffè Quadri* avaient fait signe au garçon de salle pour lui demander d'apporter l'addition. Cela, le jeune homme seul à Venise ne le vit pas, tout comme il ne vit rien de ce qui allait se passer par la suite. Les yeux du jeune client restaient obstinément détournés. Cependant, il devinait tout. Des images parvenaient à son esprit, de la grandeur d'un écran géant, exactement comme s'il avait eu les yeux braqués sur les deux femmes. À cet instant, son émotion était si intense qu'il n'avait pas besoin de voir pour voir, son intuition faisait office de lien entre la pièce et lui, il savait ce qui s'y passait et la façon dont cela se passait. Chaque geste, chaque attitude lui étaient connus sur-le-champ. Il lui suffisait d'y penser pour voir. Non, il n'avait pas besoin de lever la tête. C'était le pire scénario jamais écrit qui allait se dérouler d'ici peu, il le savait. Il le savait et il se le reprochait d'autant plus qu'il en était partiellement l'auteur.

Les deux femmes du *Gran Caffè Quadri* se sont levées, leur belle unité retrouvée. Elles n'ont pas eu un regard en direction du jeune homme seul à Venise. Elles n'ont pas eu un mot. Elles ont glissé leurs mains pâles et fines dans de longs gants noirs avant de toucher l'argent du bout de leurs doigts gracieux. Elles ont payé. Elles ont récupéré leurs manteaux, beige pour la femme des États-Unis et vert pour l'Italienne, et elles les ont enfilés soigneusement, les boutonnant scrupuleusement de bas en haut à cause du froid et de l'humidité de Venise qui les attendaient au dehors. Elles se sont dirigées vers le jeune homme seul à Venise d'une démarche furtive et légère, le regard flottant, comme si le seul fait de maintenir l'équilibre de leurs pas réclamait toute leur attention, qu'elles ne pouvaient rien faire d'autre en même temps. Lorsqu'elles sont passées à côté de lui, il aurait dit qu'elles marchaient sur la pointe des pieds, leurs souliers effleurant à peine le tapis du café. Elles avaient cette sorte de crispation de la bouche à la rencontre entre une esquisse de sourire et une moue dédaigneuse, comme un rictus à peine marqué, dont on ne sait jamais trop quoi penser et encore moins s'il faut y répondre. Elles faisaient tout pour ne pas être remarquées, déplaçant à peine un souffle d'air, une petite brise, presque rien, vraiment, presque rien. Puis, tels des monstres d'indifférence, les deux femmes avaient quitté les lieux.

Comme il avait su imaginer leur mépris à ce moment-là, leur incompréhension, leur expression de « nous ne sommes pas du même monde » qu'elles s'étaient empressées d'aller chercher au fond d'elles-mêmes, dans il ne savait quel décalage social qu'elles auraient inventé pour l'occasion. Comme il avait senti peser sur lui le poids du dédain et du rejet. Désormais, tous ses rêves s'arrêtaient là, les promenades dans Venise, les duos, les trios, les sorties au théâtre et à l'opéra, les visites dans les musées. Il ne serait pas leur jeune homme adopté, il ne serait pas cet arbitre essentiel et omniprésent qu'il avait tellement espéré devenir. Elles étaient parties et il était à nouveau seul à Venise. On l'avait renié, oublié, abandonné et, lorsque enfin il osa quitter son livre des yeux et regarder par les hautes fenêtres du *Gran Caffè Quadri*, il vit leurs deux silhouettes à nouveau complices qui s'éloignaient par-delà la place Saint-Marc en sautillant entre les flaques d'eau pour ne pas se mouiller les pieds.

Maintenant que je sais

IL EXISTE DES PENSÉES qui vous habiteraient toute une vie si vous les laissiez faire et qui, de par la volonté d'un enchantement contre lequel vous êtes impuissant, n'accepteraient de vous quitter que si vous rencontriez un jour les critères précis et rigoureux que votre ensorceleur, et lui seul, aurait fixés pour votre libération. Cet ensorceleur, c'est le destin, le hasard, ce sont les autres ou c'est vous-même, mais tout cela vous l'ignorez, tout comme vous ignorez le moment où le sort vous a été jeté ainsi que le moyen de vous en délivrer. Ce que vous savez en revanche, c'est que les pensées sont là, mauvaises et obsédantes, et que, pour vous sauver, il vous faut rencontrer cette conjoncture, ces conditions précises et nécessaires, établies par avance, qui seules vous donneront le salut et la paix de l'âme. En fait, ce qu'il vous faudrait, c'est parvenir enfin un jour à vous confier à quelqu'un, mais pas à n'importe qui, à quelqu'un qui serait à même de saisir la difficulté, voire l'exploit, que représente pour vous un pareil accouchement ; quelqu'un qui comprendrait toute l'importance de votre aveu, qui en mesurerait à la fois la gravité et l'infamie, qui saisirait toutes les implications du propos, sans clémence aucune, qui pèserait longuement le pour et le contre, le juste et le mauvais, et qui, enfin, à la manière d'un confesseur, pourrait ensuite vous accorder – mais peut-être seulement – une sorte de pardon, effaçant votre faute avec son souvenir dans le meilleur des cas ou ne parvenant, dans le pire, qu'à en partager le redoutable poids, espérant soulager ainsi votre culpabilité indéfectible.

Sans doute, serez-vous surprise de l'apprendre, mais j'éprouve un tel sentiment à l'égard de Denis Bélanger. Je vous rassure, il ne s'agit pas vraiment d'une faute, disons plutôt d'une maladresse, ou d'une inconséquence inconsciente dont la responsabilité m'incombe. En outre, je ne cherche guère un pardon, même posthume, car rien dans mon attitude ne justifierait de m'imposer une telle nécessité. Néanmoins, mes pensées, prisonnières depuis trop longtemps, tournent sans cesse autour de cela, baladeuses inépuisables, comme des vautours autour d'une agonie, si bien que lorsque j'ai vu paraître votre si joli recueil avec ces mots qui disaient qu'il était dédié à la mémoire de Denis Bélanger, et lorsque l'on m'apprit que vous avez été l'une de ses amies proches, peut-être même la plus intime, je me suis dit que j'avais enfin trouvé à qui confier cette histoire et, voyez-vous, je me livre à vous pour vous rendre des comptes, tout comme il conviendrait d'en rendre aux membres de sa famille, mais les familles se tiennent si éloignées parfois, consciemment ou pas, de leurs enfants les plus proches et les plus chéris, que je ne suis pas sûr que ce soit à la sienne qu'il convienne que je m'adresse aujourd'hui, surtout dans un cas pareil, alors que l'expérience et l'intuition doivent prendre le relais du cœur et de l'intelligence. Je me tourne donc vers vous parce que tout ce qui concerne Denis Bélanger, désormais, aux yeux du monde, vous concerne, que vous êtes de ses émotions la dépositrice morale, et parce que l'épisode dont il s'agit a sans doute eu de l'importance à ses yeux. En fait, avec le recul, je suis de plus en plus persuadé que cet épisode a eu de l'importance à ses yeux, j'en ai à présent la conviction intime, et ce sont des répercussions de cette conviction qui m'empoisonnent chaque jour un peu plus que par vous j'aspire ici à être enfin libéré. Voici donc ce qui s'est produit. C'est une chose toute simple, vous allez voir, mais les choses toutes simples dissimulent parfois un insoutenable caractère de gravité.

Reportons-nous quelque temps en arrière, voulez-vous, à cette époque où, vous le savez, je travaillais encore pour les éditions Nouvelles et la revue du même nom qui publiait chaque trimestre une sélection de textes courts des auteurs les plus réputés de l'endroit tout comme des inconnus dont nous espérions un jour une

quelconque relève, et cela faisait du monde, à la fin, ces quinze à
vingt auteurs différents publiés tous les trois mois sur des années et
des années, et cela aurait dû faire des lecteurs aussi, bien des
lecteurs. Malheureusement, le niveau des ventes et des abonnements était la plupart du temps à peine suffisant pour financer la
publication et nous avancions comme ça, au coup par coup,
trimestre après trimestre, dans la peur que le prochain numéro à
paraître ne sorte finalement jamais, ou qu'il soit le dernier de tous
et qu'il faille, après lui, mettre la clef sous la porte, faute de fonds,
pour toujours. Nous nous sentions les modèles d'une nouvelle
forme de désintéressement, supérieure et sublime, et cette incertitude, cette impression de provisoire dans laquelle nous vivions, était
à la fois une formidable stimulation en même temps qu'une source
de désespoir renouvelée qui nous tenaillait sans cesse et nous
rongeait le corps aussi lentement et sûrement que le temps creuse le
ventre affamé. Pendant ces périodes de doute et d'insécurité, il nous
fallait être vigilants et nous devions surveiller activement nos
revenus et nos dépenses, nous assurer que les subventions rentraient
bien, mettre régulièrement en place de nouvelles stratégies de vente,
des campagnes de promotion – et cela, c'était mon travail la plupart
du temps. Le directeur général me demandait souvent des bilans et
des rapports sur l'évolution des abonnements, et comme ceux-ci
persistaient à révéler des résultats particulièrement peu encoura-
geants, il inventait toujours de nouvelles façons de procéder, rem-
plaçait une méthode par une autre, proposait de nouveaux incitatifs,
chaque fois, pensait-il, plus séduisants ou plus attrayants aux yeux
et à l'esprit de nos futurs lecteurs.

Cette fois-ci, il m'avait convaincu de m'adresser directement
aux nombreux auteurs qui avaient déjà publié dans nos pages, et
dont nous gardions les noms archivés dans nos fichiers, et d'insister
auprès d'eux sur l'importance de leur soutien pour la survie de
notre revue ; ils représentaient notre lectorat privilégié, nous avions
besoin de leur fidélité, il fallait le leur dire. Mon objectif était donc
de créer chez eux une nouvelle solidarité, toute littéraire, et de les
confronter à une sorte de sentiment de culpabilité en soulignant
notamment que si eux, les auteurs que nous avions publiés, ne se

sentaient pas assez concernés pour lire les textes des autres, pour soutenir la création en général et pour s'abonner à la revue, que si eux n'avaient pas cette conscience-là, qui d'autre alors l'aurait et qui d'autre alors le ferait? C'était là l'essentiel du message, et je me souviens qu'il fallait bien dire cette phrase, qu'elle était l'argument massue de toute la démonstration, qu'elle était la formule magique, le « sésame ouvre-toi » qui devait clore l'envolée, qu'il fallait à fond jouer sur l'émotion, se sentir comme un curé en chaire et lâcher d'un ton solennel, en faisant vibrer la voix et en levant un poing indigné: « Si vous, vous ne vous sentez pas assez concerné par la revue pour la soutenir et pour vous y abonner, qui alors, qui d'autre le fera? »

C'est ainsi que j'en vins à appeler Denis Bélanger qui avait publié plusieurs fois dans nos pages et dont l'abonnement était échu depuis déjà quelques semaines.

La voix de Denis Bélanger répondit à mon appel dès les premières sonneries du téléphone. J'attendis un instant pour être sûr qu'il ne s'agissait pas d'un répondeur. Ce n'en était pas un. Après quelques formules banales de complaisance et un rapide échange de fausse sympathie – je dis « fausse sympathie » car, dans le fond, nous ne nous connaissions pas, et que tout cela n'était que pure convention de ma part comme de la sienne, chacun ne pensant qu'à atteindre son objectif, moi, « préparer le terrain à mon intervention », et lui, « évacuer au plus tôt les préliminaires pour en venir au but et abréger un échange qui ne devait présenter aucun intérêt à ses yeux » – je lui sortis mon petit baratin sur la revue, sur les auteurs qui y publiaient et sur la nécessité de s'abonner pour soutenir l'entreprise. Je parlais vite, plus ou moins à l'aise, comme pour me débarrasser d'une corvée, conscient du caractère mécanique de mes propos et hanté par l'impression désagréable de réciter une leçon qu'on m'aurait imposée et dont je n'assumais pas vraiment la paternité. Cela prit un certain temps, puis – quand je sentis le moment venu, qu'il me semblait avoir tout dit et qu'il me semblait également devoir mettre un terme à un silence qui risquait de s'éterniser à l'autre bout du fil, quand je sentis que mon auditeur était à point, au juste lieu de rencontre entre le bientôt impatient et le néanmoins attentif – j'essayai enfin d'atteindre sa conscience une bonne fois pour toutes et, pour en finir, lui assénai d'un coup, avec la violence d'une estocade, le fameux « Si vous ne le faites pas, qui d'autre alors, qui le fera ? »

Denis Bélanger attendit un instant avant de répondre, puis il me dit que j'avais absolument raison, que cela était très important, que les auteurs devaient se sentir concernés par l'existence de la revue, tout comme par son avenir, qu'il fallait la soutenir, la lire, l'encourager, et qu'il allait réfléchir à la possibilité de prolonger son abonnement, qu'il me tiendrait au courant.

Après ces quelques phrases rassurantes, je pense que Denis Bélanger espérait secrètement mettre un terme rapide à notre conversation. En vertu des convenances les plus élégantes, il avait fait sa part. Il avait partagé le poids des responsabilités, avait approuvé l'idée, l'initiative ; il m'avait signifié qu'il m'avait entendu, qu'il était d'accord, qu'il ferait son possible. Pour lui, sa réponse avait suffi ; il s'attendait sans doute à pouvoir passer à autre chose, à en être quitte pour sa peine et à se trouver dégagé définitivement de toute nécessité d'en dire plus, dispensé d'en faire plus, que c'était bon –, mais ça, je ne l'ai pas compris. Je suis resté au téléphone et j'ai continué sur ma lancée, sur mon idée d'abonnement et de revue, sur les auteurs et tout et tout. J'avais appelé pour ça, pour en parler, pour régler la question, et j'étais incapable de penser à quoi que ce soit d'autre. Je faisais mon travail, c'était un travail, on m'avait fixé des objectifs, on attendait de moi des résultats, et ça ne laissait aucune place pour les considérations extérieures, encore moins pour la prise en charge de la réalité de l'autre. Je faisais cela très sérieusement, un peu coincé, un peu angoissé. Je n'étais pas assez à l'aise pour faire semblant, rire, ou prendre les choses à la légère ; je manquais terriblement de recul. Pire que tout, j'ignorais totalement le contexte dans lequel intervenait mon appel et je me moquais de savoir à qui je parlais vraiment. Dans cet état, oublieux du reste, je n'ai rien compris et je suis reparti de plus belle. J'ai proposé à Denis Bélanger différentes facilités pour son réabonnement. Je lui ai offert des tarifs préférentiels, je lui ai parlé d'abonnement longue durée, de deux ans, de trois ans… Je ne voyais rien d'autre que ça.

Encore une fois, Denis Bélanger m'a écouté très gentiment jusqu'au bout et ne m'a pas interrompu un seul instant, bien qu'il eût été en droit de le faire. Je lui parlais des années prochaines, d'abonnements de deux ans, de trois ans, et lui m'écoutait patiemment. Sans doute devait-il être très mal à l'aise et souffrir de m'entendre parler de tout ce temps à venir, de cette durée que j'évoquais comme une chose qui allait de soi et dont il devait pourtant, lui, se méfier terriblement — et sans doute aussi devait-il avoir envie de me le dire, de le crier, d'expliquer que pour lui, qu'à ses yeux, les choses n'étaient pas, n'étaient plus, si simples –, et sans doute enfin, aurait-il voulu se justifier, donner certains détails par rapport à tout ça, et bien sûr, il n'osait pas, et bien sûr aussi, finalement, il ne l'a pas fait.

À plusieurs reprises, Denis Bélanger s'est contenté de répéter que oui, j'avais raison, que oui, c'était important les abonnements, la revue, les auteurs, et qu'il allait y penser. Et puis, c'est tout.

Nous ne nous sommes plus jamais parlé.

Par la suite, Denis Bélanger a choisi de ne pas renouveler son abonnement à la revue et, pendant longtemps, je n'ai pas compris pourquoi. Je crois même que je lui en ai voulu.

Maintenant que je sais, je me reproche sans cesse cette conversation téléphonique et, parfois, je redoute de lui avoir infligé inutilement un tourment et une souffrance dont il se serait probablement passé volontiers et qu'il a dû trouver excessivement cruels. Maintenant que je sais, mes remords errent en vain, à la manière de spectres tourmentés à la recherche d'un impossible pardon ou d'un simple soulagement, d'un signe de clémence que nul ne peut plus m'adresser. Maintenant que je sais, je ne peux m'empêcher d'avoir peur. Combien de fois, me dis-je, combien de fois jouons-nous ainsi avec les secrets de ceux qui nous entourent? Combien de fois en faisons-nous le tour sans jamais en soupçonner seulement l'existence? Combien de fois les frôlons-nous d'une caresse qui n'adoucit jamais rien et qui brûle en laissant une marque profonde? Combien de fois notre impudence nous pousse-t-elle à mettre de l'avant des données qui nous semblent évidentes parce que nous les possédons, sans nous soucier le moindrement des autres en face qui, peut-être, en sont dépourvus? Combien de fois nous vautrons-nous sous leurs yeux dans nos belles certitudes qui les insultent et les enragent? Combien de fois nous sommes-nous gargarisés joyeusement, à en faire des bulles, des ronds de fumée, des glouglous et des jeux hystériques, avec ce mot précisément, celui-là même que notre interlocuteur ne voulait pas entendre, qu'il ne pouvait pas entendre et qui le tuait chaque fois un peu plus lorsqu'il était répété, sans qu'il osât cependant exprimer la colère et le tourment que cela réveillait en lui, ce qu'il aurait été autorisé à faire pourtant, mais qu'il s'interdisait volontairement, par pudeur ou par pitié pour nous. Maintenant que je sais, je vous envie d'avoir été celle avec laquelle, jusqu'à la fin, il partageait tant d'images dans sa tête et celle qui, la dernière, lui apportait des freesias, serrés dans un papier de soie, qui « faisaient palpiter sa narine et s'éclairer son visage » et je vous écris cette lettre par dégoût de moi, mais que pouvez-vous faire?

Je vous souhaite beaucoup de succès avec votre recueil à la mémoire de Denis Bélanger.

Ma mère défigurée

EN CES TEMPS-LÀ, je partageais ma chambre avec mon frère Pascal. Notre appartement, en effet, n'était pas assez grand pour que nous ayons chacun notre petit chez-soi, et ce seul fait me valut de vivre une adolescence tourmentée, ponctuée d'incidents divers. Les disputes entre nous étaient nombreuses. Elles portaient souvent sur l'ordre ou le désordre de notre placard à jouets, qu'on appelait encore ainsi mais dans lequel ne demeurait plus aucun jouet depuis longtemps déjà, elles portaient aussi sur l'heure à laquelle il fallait éteindre la lumière après que l'on se fut couché, sur le temps réservé à la lecture ou à la musique, et sur le choix de cette musique justement.

Mon frère est mort dans sa petite enfance. J'ai vu partir son âme lentement, puis s'élever vers les cieux du remords, des espérances trahies et une vie non vécue. Il n'est pas mort sur le plan biologique, mais il est mort dans son être, dans sa nature, dans son esprit. Il est mort de façon virtuelle. Son destin a été brisé, ses illusions, détruites, son estime de soi, broyée. On a détourné son chemin de ce qu'il aurait dû être vraiment. On en a fait un autre, complexé, meurtri… un autre. Son adolescence n'a été qu'un long processus visant à lui faire quitter sa propre écorce pour enfiler la peau de cet autre qui ne connaîtrait jamais le bonheur. Au cours de ces années, où mue la voix des jeunes garçons, c'est son être en entier qu'on a fait muer. Et du garçon blond, mince, aux yeux espiègles et rieurs, de cet enfant passionné par la vie, les arts et les sciences, d'une curiosité infinie pour les livres, les êtres et les choses, de cet enfant-là est né

un jeune homme lourd et pataud, aux traits sans grâce, aux déplacements malaisés, est né un individu renfermé, coupé des autres et
solitaire, est né un être sans séduction et sans sexualité, qui s'est
interdit les plaisirs de la vie pour se consacrer au travail et à la
retraite, qui a quitté ses airs de boute-en-train pour des allures
austères et un trop grand sérieux en toute circonstance. Cet
homme-là, puisqu'il en est devenu un aujourd'hui, avec femme,
enfants et grande carrière à l'appui, je ne suis pas sûr que je pourrais le reconnaître encore si je le croisais par hasard dans la rue. Je
suis resté si longtemps sans le voir. Par solidarité peut-être envers
celui qu'il aurait dû devenir et que tous, autour de lui, nous avions
assassiné.

Pendant des années, mille fois, au détour d'un couloir de métro,
dans le reflet des vitrines de magasin, dans les foules de la Saint-
Jean, j'ai cru apercevoir son visage, sa silhouette, et j'étais sûr que
c'était lui. Je me disais : « C'est mon frère… Qu'est-ce qu'il fait ici,
dans cette ville, si loin de sa propre vie… » Et puis je me ravisais.
Mais tout était possible ! Mon frère se déplaçait tellement, avec son
métier, toujours en train de parcourir le monde d'un continent à
l'autre… Une fois, on m'avait même montré une photo de lui, en
Afrique, en train de serrer la main du président Chirac. Et je me
souviens de l'avoir vaguement reconnu sur ce cliché. Je m'étais dit
que, dans le fond, il ne vieillissait pas. Alors pourquoi ne serait-il
pas à Montréal de temps en temps ? Dès lors, je me contentais de
cette idée et je poursuivais mon chemin sans jamais essayer d'en
savoir plus et sans jamais prendre la peine de me retourner vers le
visage qui m'interpellait pour vérifier mes hypothèses. Les fantômes
doivent rester des fantômes.

Mon frère a été tué par mes parents, par un système scolaire
inadéquat, par sa propre intelligence confrontée à la médiocrité de
ses camarades de collège. D'ailleurs, comment peut-on employer le
mot « camarades » dans un tel cas ? Il me semble bien inapproprié
et très hypocrite, conventionnel. Ne faudrait-il pas plutôt parler de
« condisciples », de « confrères », autant de termes qui sont beaucoup plus neutres, ou même encore, ne devrais-je pas utiliser le mot
« bourreaux » qui présente l'avantage, me semble-t-il, d'être beau-

coup plus juste, plus précis et donc plus proche de la réalité. On dit toujours qu'il faut être instruit et cultivé pour être quelqu'un de bien. C'est une conception valorisée ; culture et instruction sont souvent présentées comme des synonymes ou des gages de réussite, des moyens d'accéder à la connaissance et au bonheur. Dans les faits, il n'en est rien. On accède peut-être à la connaissance, mais certainement pas au bonheur. Être trop instruit, trop savant nuit à la vie sociale. Cela complique les relations avec les autres qui, souvent, ne partagent pas les mêmes connaissances, et cela finit par vous isoler. Paradoxalement, le « trop instruit » finit par connaître le sort d'un exclu et de ce fait, il est loin de se sentir pleinement épanoui. Je connais bien des « trop instruits » aujourd'hui qui se contenteraient avec plaisir d'un simple diplôme d'études secondaires, histoire de se sentir plus légers face au mouvement du monde.

Mon frère était un être d'excellence, promis à un avenir brillant, que des êtres ordinaires ont décidé de briser, par manque d'amour et parce qu'ils ne pouvaient éprouver d'intérêt pour autre chose qu'eux-mêmes. Mon frère a été battu pendant des années à cause de mille petits détails sans importance – des symptômes qu'on refusait de lire et d'interpréter à leur juste valeur. Mon frère a été humilié, souillé, pour l'obliger à rentrer dans une norme dont il n'avait que faire car il était déjà rendu bien au-delà de tout ça. On l'a obligé à reculer, à se diminuer lui-même, à revenir en arrière, sur un chemin de pensées qu'il avait déjà parcouru, exploré de fond en comble et dont il connaissait tous les méandres.

Par réaction à cet environnement contraignant, mon frère se salissait souvent. Il n'était ni propre ni ordonné, il souillait ses sous-vêtements et mangeait trop, presque en permanence. À l'école, on l'appelait « mouche à merde » parce qu'il sentait souvent mauvais. On imagine aisément pourquoi. Plus tard, il s'était mis à voler – un peu partout, dans les magasins ou dans mes affaires. Il ressortait des dépanneurs les poches pleines de bonbons et j'étais horrifié quand il nous les montrait dans un éclat de rire et de fierté. Je vivais dans la hantise de le voir arrêté par la police. J'imaginais ma famille traînée dans la boue, toute notre réputation salie à cause de lui. Il

était indiscret et ne respectait rien, ce qui me faisait peur. Il était
capable de violence et ces coups qu'on lui assénait si souvent, il
tendait à les rendre aux plus petits que lui. Parfois, il se prenait pour
mon père, me faisait la morale ou me donnait des ordres. Lorsqu'il
était en colère, il n'hésitait pas à me frapper. J'ai laissé une dent dans
une de nos disputes. Il sortait sa langue qu'il pinçait très fort entre
ses lèvres en signe d'avertissement. Le volcan était au bord d'exploser. Nous étions prévenus... Mais il était aussi très vulnérable et,
à la moindre atteinte, à la moindre chiquenaude, il pleurait avec
les beuglements bruyants d'un veau à l'abattoir. J'ai toujours eu
l'impression qu'on voulait le forcer à vivre dans un monde qui n'é-
tait pas pour lui. Comme s'il était puni pour une vie antérieure, que
les dieux lui auraient reproché son attitude et qu'il aurait été condamné à vivre l'enfer en ces termes : « Tu retourneras sur Terre et tu
y seras à jamais incompris. Rien de ce que tu feras ni rien de ce que
tu diras ne trouvera son juste écho ; tu devras toujours te plier aux
lois et à la discipline de gens qui ne t'aiment pas et qui refuseront
éternellement de te comprendre. » J'ai toujours eu l'impression
qu'une énorme hypocrisie flottait autour de mon frère, que même
lorsqu'il y avait des accalmies dans sa vie, même lorsque les gens
acceptaient de rire avec lui, de s'amuser, de discuter, tout le monde
faisait semblant – que les gens n'en pensaient pas moins au fond
d'eux-mêmes, et qu'ils agissaient de la sorte pour éviter des drames
et gagner un peu de répit dans un climat de guerre. L'amour, la
sincérité, le partage et la compréhension, je ne les ai jamais vus dans
son environnement. Je crois que mon frère n'a jamais aimé personne et je crois que personne ne l'a jamais aimé. Je veux dire sincèrement, profondément. Il est possible que mon frère attire certaines
formes de sympathie, de clémence, d'intérêt, surtout aujourd'hui, il
est possible qu'il puisse susciter ce que certains appellent un
« amour de raison », mais l'amour fou, la passion inconditionnelle,
la violence du sentiment, je n'y crois pas pour lui, je ne les ai jamais
vus et, qu'il me pardonne de le dire, mais oui, dans cette vie sans
amour, dans cette enfance de martyre, je ne vois nul attachement,
nul ami, nulle tendresse. Mon frère n'avait pas de confident, ou s'il
en eut, ce furent d'autres esseulés qui vivaient la même chose que

lui et se raccrochaient à la première bouée qu'ils pouvaient trouver. C'était, je l'ai dit, des relations raisonnées et non des élans du cœur.

Dans tout ce panorama, dans ce désert aride de l'émotion et de la caresse, il n'y eut même pas un cheval, un chat ou un chien pour venir lui donner un peu de chaleur. Chez nous, les animaux étaient exclus. Or, je crois que mon frère aimait bien l'idée qu'une vie autre que la sienne puisse dépendre de lui. Il s'intéressait à la biologie. Il avait le tour avec la nature! Il avait déjà fait pousser des plantes, et s'il trouvait de petits animaux malades, il les ramassait et essayait de les sauver. Il avait le profil de ces adolescents romantiques qui se serrent contre une crinière, une toison ou un poil touffu pour reprendre leur calme, étouffer un sanglot et retrouver la foi dans le partage de la vie. Il avait tout de ces adolescents fougueux, figures de romans et de contes, qui écoutent battre le cœur de leur animal de prédilection pour y trouver la force de continuer, pour se convaincre qu'ils ne sont pas seuls et abandonnés sur la planète et que leurs jours ont encore un sens.

Mon frère lisait la saga du *Prince Éric* de Serge Dalens, c'est-à-dire au moins quatre ou cinq volumes, abondamment illustrés, et il y croyait. Ces histoires d'amitiés amoureuses, d'honneur et de fidélité entre jeunes garçons trouvaient en lui un écho sincère et sentimental. Il avait beaucoup hésité avant de lire la dernière page du dernier volume, *La Mort d'Éric*, car l'auteur avait prévu deux fins, l'une heureuse et l'autre tragique. À la fin de l'issue heureuse, il prévenait ses lecteurs et leur laissait le choix. « Si vous voulez que l'histoire d'Éric s'achève dans le bonheur, arrêtez-vous là, mais si vous n'avez pas peur de la réalité, tournez une page de plus et découvrez l'autre fin d'Éric. » On soupçonnait qu'elle serait terrible, ce qui suscitait chez le lecteur un sentiment contradictoire où se mêlaient une irrésistible envie d'en apprendre plus et une peur terrifiante de se trouver confronté à l'horreur, à une situation si monstrueuse qu'on ne l'oublierait jamais et qui gâcherait l'ensemble de l'histoire pour toujours. Le choix n'était pas facile à faire et forçait bien des garçons à y penser pendant de longues semaines. Au bout de trois minutes, mon frère avait finalement décidé de lire la deuxième fin et il avait tourné la page. La mort d'Éric, frappé par une voiture alors qu'il était en pleine course pour rejoindre son indispensable ami, était en effet épouvantable.

Comme bien des garçons de son âge, mon frère pensait que quelque chose de merveilleux devrait lui arriver forcément, un jour ou l'autre, dans un avenir plus ou moins proche, et que, s'il était malheureux au matin, ce serait probablement pour être plus heureux encore le soir venu. Il croyait aux revirements de situation, aux vies qui changent du tout au tout d'un coup de baguette magique ; il croyait aux citrouilles qui se changent en carrosses, aux crapauds qui deviennent des princes et aux enfants clochards qui se découvrent fils d'une riche famille. Il était persuadé qu'il avait été arraché à son véritable milieu à la manière du petit héros de *Sans famille*, un roman d'Hector Malot dont la télévision diffusait chaque Noël la même éternelle adaptation à l'intention du jeune public. Mon frère était convaincu que nos parents n'étaient pas ses parents. Il ne savait pas si nous étions vraiment frères — cela dépendait de l'état très fluctuant de notre relation —, mais sur le fait que nos parents n'étaient pas ses parents, il n'avait aucun doute. Chaque fois qu'il me parlait ainsi, ses propos me plongeaient dans de longues rêveries tandis que je l'enviais secrètement de ne pas appartenir à notre famille. Je souhaitais sincèrement pour lui que cela fût vrai ; je me répétais sans cesse que rien de mieux ne saurait lui arriver. Mon frère racontait qu'il avait été adopté très jeune, qu'on l'avait placé chez nous en famille d'accueil, et qu'on l'avait pris pour l'argent. C'est pour ça que personne ne l'avait jamais aimé. Les autres ne pensaient qu'à l'argent et ne s'intéressaient pas à lui parce qu'il n'était pas le vrai fils de la maison. Mais qui était alors le vrai fils de la maison ? Ça, dans le fond, personne ne le savait.

Mon frère était sûr que sa vraie famille apparaîtrait un jour dans un scintillement d'étoiles, que des gens arborant de beaux habits s'avanceraient au-devant de lui tandis que retentiraient des airs de flûte, qu'on viendrait le chercher en lui tendant une main ouverte et qu'on lui dirait : « C'est fini ! Tu as assez souffert. Maintenant, le bonheur est à ta porte. Viens ! Entre ! » Alors, pour la première fois de sa vie, il entendrait les anges chanter et un immense chemin s'ouvrirait devant lui, de ses pieds jusqu'au plus creux des nuages.

Mon frère vivait dans l'attente de cet instant-là, je l'ai toujours su, et c'est seulement parce qu'il était persuadé que cet instant arriverait un jour qu'il réussit à endurer pendant toutes ces années la vie avec nous. En attendant, dans cette immense solitude, sans ami, sans famille, sans cheval ni chat ni chien, il n'eut pour tout réconfort, et pendant quelques mois seulement, qu'un aquarium avec quelques petits poissons exotiques dont il prenait le plus grand soin.

C'était un aquarium de bonne taille, dans lequel évoluaient une vingtaine de créatures, toutes plus délicates les unes que les autres. Les petits animaux venaient de diverses régions du monde et portaient des noms impossibles à retenir, aux consonances étranges. L'eau de leur bassin était maintenue constante et tiède pour reconstituer leur milieu d'origine. L'aquarium prenait de la place, tout un mur de ma chambre. Les poissons demandaient du temps et de l'entretien, mais ils ne me dérangeaient pas. Je n'éprouvais pour eux nul attachement, ce qui n'était pas le cas de Pascal. Lui les aimait beaucoup et il en prenait soin avec amour, surveillant leur croissance, leur évolution et, quand c'était possible, veillant aussi à leur reproduction. J'étais heureux que, pour une fois, mon frère, le mal-aimé, le maltraité de la famille, ait pu se trouver une source de joie et quelque consolation dans son quotidien souvent si douloureux.

L'aquarium reposait d'ordinaire sur une commode bancale en bois solide mais maladroitement agencé, et ma mère, avec sa délicatesse habituelle, avait un peu trop forcé pour ouvrir un des tiroirs du dessous. Elle avait les bras pleins de chemises et de polos pliés qu'elle voulait ranger avec nos affaires. La voici qui tire, qui tire, et hop, un geste trop brusque et le meuble s'était affaissé, laissant glisser le lourd aquarium dans le vide. Un pied venait de flancher. Tout avait basculé dans un craquement sinistre et l'immense contenant de verre s'était retrouvé projeté en quelques secondes sur la moquette grise de la chambre.

Au moment de l'impact, l'aquarium avait littéralement explosé. L'eau courait partout en petites vagues régulières et, entre les ruines de ce qui avait été les éléments de la décoration florale et aquatique, on pouvait commencer à voir surgir la frêle silhouette des petits poissons qui se tortillaient lamentablement, brûlés par l'oxygène, tordant leur corps en tous sens, la bouche ouverte, avides, leur queue battant l'air compulsivement, prisonniers d'une danse ridicule et sauvage de laquelle ils espéraient un impossible salut.

Mon frère était à la fois consterné et abattu. Il assistait à ce spectacle avec un air désespéré, contemplant la scène sans bouger, les jambes écartées, la bouche ouverte, lui aussi, les yeux fixes, incapable d'intervenir. Il faisait peine à voir. À moi aussi ce spectacle fendait le cœur, mais comme j'étais moins engagé émotivement dans le constat de cette épouvantable catastrophe, je repris mes esprits en peu de temps. D'un bond, je me suis jeté sur les poissons et j'ai commencé à les ramasser un par un pour les replacer dans ce qui restait de l'aquarium, là où demeuraient encore quelques flaques d'eau qui leur seraient un premier abri en attendant mieux. Quelle précipitation, quelle pêche impossible! Je courais dans tous les sens, essayant de saisir à mains nues ce qui bougeait encore autour de moi. Je ne savais plus où donner de la tête. Les petits corps frétillaient lamentablement et semblaient refuser mon secours. Ils glissaient entre mes doigts, s'échappaient, retombaient. Mille fois, je faillis marcher dessus. Je reculais avec horreur, consterné. Mes mains me semblaient des instruments monstrueux et disproportionnés, complètement inadéquats en l'occurrence. Je recommençais interminablement les mêmes mouvements paniqués, n'obtenant qu'un rendement très relatif. J'étais obsédé par l'idée de serrer trop fort les petites bêtes et de les écraser, sans m'en rendre compte, de faire exploser leur corps spongieux et mou, comme les algues imbibées d'eau sous les pas d'un promeneur. Il me semblait sans cesse sentir leurs organes céder sous ma pression et, à plusieurs reprises, j'en vins à relâcher les poissons brusquement, effrayé par ma propre force, persuadé de les avoir littéralement broyés à l'intérieur. Je roulais des yeux de fou, ne sachant à quel saint me vouer. Plus je tentais de m'améliorer, plus je me laissais emporter par ma précipitation, et moins les résultats s'avéraient concluants. Mon angoisse ne cessait d'augmenter. Elle me tenaillait le cœur. J'avais les joues brûlantes. Je me sentais aussi perdu et menacé que les petits poissons eux-mêmes.

Ma mère, elle, ne voulait rien savoir de ces tentatives de sauvetage. Elle ne s'était même pas arrêtée trente secondes au piètre destin de l'aquarium et des poissons. Totalement concentrée sur un autre drame, le sien, elle avait couru de la chambre à la salle de bains en hurlant comme une possédée : « Je suis défigurée, je suis défigurée ! » Ses cris étaient stridents, insoutenables, entrecoupés de sanglots qui étouffaient sa voix. Dans mon agitation, j'attrapai ces paroles au vol et, tout à coup, ce fut comme si un poignard était entré profondément dans mon cœur. Je restai saisi un instant. Les mains abandonnées sur la moquette trempée, tandis que mon sang, inéluctablement, se retirait de moi, aussi sûrement que les vagues désertent les plages à marée basse. J'imaginais le visage de ma mère monstrueusement déformé, lacéré par la projection des éclats de verre qui avaient dû l'atteindre de plein fouet. Je la voyais déjà condamnée à porter un masque blanc et lisse jusqu'à la fin de ses jours comme la jeune héroïne du film *La Femme sans visage,* qui me bouleversait tant chaque fois qu'il passait à la télévision. Je songeais à cet impitoyable destin qui serait le sien désormais, coupée de tous et de tout en attendant l'improbable miracle qui, un jour – peut-être ! – viendrait la délivrer de son horrible prison. Ses traits étaient profondément atrophiés, j'en étais sûr. C'était la fin du monde. Je n'osais plus bouger et encore moins me diriger vers le lieu de cette insupportable constatation. Je ne voulais rien savoir de l'étendue possible des dégâts, persuadé au fond de moi que je ne les connaissais déjà que trop.

Ma mère s'était immobilisée dans la salle de bains et je la devinais debout devant le miroir, méconnaissable et sanguinolente, faisant face courageusement à son nouveau visage, sinistrée, pleurant toutes les larmes de son corps, tandis que ses cris, étouffés mais impossibles à contenir, parvenaient déchirants jusqu'à moi, déferlant en assauts irrépressibles, vibrant et envahissant l'espace jusqu'à paralyser tout ce qui restait de vivant dans l'appartement. Défigurée, elle était défigurée. C'était épouvantable. Dans son malheur, elle nous appelait au secours à longs cris, nous, ses enfants, et sa voix nous figea aussitôt et les chairs et les os. Nous étions tout à coup tiraillés entre deux urgences, ne sachant à laquelle accorder notre priorité. D'un côté, les petits poissons et de l'autre, notre mère. Quel dilemme! Nous avions parfaitement conscience que, dans l'extrême immédiat, les petits poissons étaient ceux qui étaient exposés au plus grand péril. Dans leur cas, quelques secondes seulement pouvaient faire toute la différence. Il n'y avait pas de temps à perdre, et leur situation ne souffrait aucun délai. Nous le savions. Mais ce que nous savions aussi, c'est qu'il ne s'agissait que de petits poissons et que, aussi exotiques et rares pussent-ils être, nous aurions toujours la possibilité de les remplacer, plus tard, d'une façon ou d'une autre. C'était horrible à dire mais les petits poissons pouvaient bien mourir, puisqu'ils étaient remplaçables et que, surtout, leur mort ne nous serait pas reprochée. Laisser mourir des petits poissons est un crime pour lequel nul ne vous demande des comptes, pas même les petits poissons en question. On ne vous juge pas. On ne vous accuse pas. Personne ne vient réclamer vengeance en leur nom et tout arrive comme si les victimes elles-mêmes, du haut de leur innocence, acceptaient l'injustice de leur sort avec sérénité, sans chercher le moindrement à s'arracher à leur tragique destin, sans haine ni rancune, ni pour leur bourreau et encore moins pour les terribles circonstances qui les avaient précipitées là. Ainsi sont les lois de la nature. A-t-on déjà vu un tribunal juger quiconque pour « crime contre l'humanité » des petits poissons? Non. Le meurtre infâme pouvait donc avoir lieu, le génocide se perpétrer, et il n'y aurait aucune conséquence à cela. Quelques remords sans doute, mais le temps se chargerait vite de les effacer. Pour finir, les petits poissons n'allaient pas se lever et venir nous donner deux claques. Or, on ne pouvait pas en dire autant de notre mère qui, elle, le ferait. Elle pouvait se venger si nous n'obéissions pas. Elle pourrait nous accuser et nous juger autant qu'il lui plairait. Et nous étions en droit de supposer que, si tel était le cas, cela lui plairait longtemps, très longtemps, beaucoup trop longtemps probablement.

Il n'était guère besoin d'être sorcier pour se rendre compte que le rapport de force entre les poissons et notre mère était inégal. Or, cette inégalité même venait aiguiser en nous notre soif de justice, notre volonté de bien faire et d'être exemplaires en tous points, aussi irréprochables et glorieux qu'une page d'histoire ou qu'une leçon de morale. Pas question de se laisser aller à écouter la voix de la facilité et à obéir, par exemple, à celui qui crierait le plus fort, sous prétexte que sa douleur, sans doute, devait être la plus aiguë. Non, ça ne marcherait pas. Ça ne devait pas marcher. Mais comme il était difficile de prendre la moindre décision... Abandonner les poissons, se détourner d'eux comme s'il ne se passait rien, nous semblait au-dessus de nos forces. C'était trop affreux. N'avions-nous pas le devoir suprême, l'obligation même, de porter assistance à tout être en danger? Dans ce cas, il était clair que nous devions d'abord sauver les poissons et ensuite seulement nous tourner vers notre mère. Dut-elle nous le reprocher. La raison, mais aussi l'émotion, nous poussaient vers ce choix et nous avions d'autant plus tendance à l'approuver que nous étions à cet âge où l'on cherche déjà à s'affranchir plus ou moins des liens de la famille et où l'on est fier parfois de montrer les signes maladroits de sa nouvelle indépendance. Oh, cela ne voulait pas dire que nous étions indifférents au sort de notre mère, loin de là, mais ses jours à elle n'étaient pas en danger, et puis, elle n'était pas exotique et, enfin, nous ne nous sentions pas responsables d'elle. Notre mère, nous le savions, avait tous les moyens à sa disposition, pour réagir et prendre soin d'elle-même. De plus, elle n'appartenait en aucune façon à la catégorie des êtres diminués, fragiles ou dépendants dont il faut se préoccuper presque à chaque instant.

Sur le plan de la logique pure, plusieurs signes concordaient et nous incitaient à pencher en faveur des petits animaux. Pourtant, malgré ces beaux raisonnements dont la ligne semblait si droite et si irréprochable, rien ne se décidait. Nous ne bougions pas, assaillis malgré nous par le doute, l'angoisse et un sentiment sournois de culpabilité. Et si aucun choix n'était satisfaisant? Et si tous deux comportaient leur part égale de juste et d'intolérable? Lequel adopter finalement? À qui se fier? À qui donner la préséance? À peine parvenions-nous à arrêter notre esprit sur une première attitude, qu'une autre logique, tout aussi puissante, ne manquait pas de surgir, nous rappelant que notre mère était notre mère et que, dans certaines circonstances, même si nous avions à le déplorer par la suite, le sort de l'être humain doit primer sur celui de l'animal.

Qu'était la mort de ces ridicules petites bestioles comparée au visage lacéré de notre mère? Seule sa souffrance à elle importait, car elle était humaine, et seule sa souffrance devait guider nos gestes et nos pas. Dans un épouvantable désordre, toutes ces pensées se contredisaient et se mêlaient dans nos têtes à la vitesse d'éclairs en rafales dont les flèches strient un ciel d'orage en indiquant mille directions opposées. Nous étions complètement perdus et indéfiniment tiraillés, avec la même intensité, entre une décision et son contraire.

Notre mère, elle, échappait à de tels cas de conscience. Elle appelait, et dans sa logique, nous étions dans l'obligation de lui donner préséance sur tout, y compris sur toute autre forme de vie. En gros, notre mère se foutait pas mal des petits poissons, surtout lorsqu'elle mettait dans la balance son propre sort en face du leur. Dès lors, le marché qu'elle nous proposait était simple: soit nous nous dépêchions d'accourir à ses côtés pour la soutenir et participer à son drame de tragédienne méditerranéenne – et tout irait à peu près bien –, soit nous restions résolument tournés vers les petits poissons, auquel cas les représailles maternelles seraient terribles. Peut-on appeler cela un choix?

Lorsque surviennent les grandes décisions de la vie, on peut parfois se trouver lâche et se détester indéfiniment et, à cause de cela, on peut aussi se désoler de céder toujours si facilement devant l'ordre établi, mais force est de constater que nous sommes souvent dans l'obligation de nous placer sous la protection des plus forts. C'est une loi écrite. Au risque d'être injuste, au risque de délaisser dans la honte les plus faibles et les plus démunis, ceux-là mêmes qui justement auraient tout particulièrement besoin de notre aide. Et il en fut ainsi. Dès que j'entendis retentir mon nom une nouvelle fois, je sus que nous n'aurions pas droit à une seconde de plus de délai. Il fallait se décider, et comme je n'étais pas fou, malgré nos réticences et nos peurs, je n'eus pas d'autre choix que d'abandonner le sauvetage des derniers petits poissons. En moins de temps qu'il n'en faut pour le dire, je me retrouvai comme par magie transporté dans l'entrée de la salle de bains, presque malgré moi, poussé par une force supérieure qu'on aurait pu appeler « instinct de conservation », « gros bon sens », ou simplement « prudence élémentaire ». Animé sans doute par les mêmes automatismes, mon frère m'avait suivi de peu, enfin sorti de sa léthargie, et nous étions là tous deux, déjà repentants, plantés dans le cadre de la porte, moi devant, et lui, à peine plus loin derrière.

Aussitôt, je vis le reflet de ma mère occuper tout l'espace dans l'immense miroir qui nous faisait face ; je vis sa colère et ses yeux rougis par les pleurs, mais hormis cela, je ne vis rien. Mon sang se figea de stupéfaction. J'étais paniqué et, en même temps, je n'osais en croire mes yeux. J'étais sûr que ma vue me trompait. Pris de court, tenaillé par la peur, je m'aventurai finalement à interroger d'une voix faible : « Mais où est-ce que tu es… ? » Je n'osais prononcer le mot « défigurée ». Pouvait-on employer un tel mot alors que je ne voyais rien ? Lorsqu'on est réellement défiguré, il n'est nul besoin de demander à quel endroit se situent les altérations. Cela s'impose. Cela prend toute la place. Cela crève l'écran et l'on cherche désespérément, au contraire, un endroit vierge, un petit centimètre de peau intacte et rose qui ait été épargné, afin de pouvoir y poser le regard, de soulager à la fois la tension et les sens, tout comme les oiseaux de mer cherchent les îles en plein cœur des tempêtes. D'emblée, je sentis que quelque chose n'allait pas. Il y avait là un excès, une disproportion qui me mettaient mal à l'aise, un écart trop grand entre ce qu'on m'avait annoncé et ce que je n'arrivais pas à découvrir. Un frisson me parcourut soudain à la pensée qu'on ait pu vouloir me mentir, me manipuler en transformant sciemment la réalité pour m'égarer sur une voie détournée.

À cet instant, pourtant, ma mère ne perçut rien de ma gêne. Toujours impatiente, vive et emportée, elle n'attendit même pas la fin de ma phrase. « Mais là, voyons, là, là, là… Ne me dis pas que ça ne se voit pas ? Enfin… » Son ton, comme d'habitude, n'admettait pas de réplique. Je me raidis aussitôt, assailli par les scrupules. Comment avais-je pu douter ? Mauvais fils que j'étais ! Ma mère était bel et bien défigurée, il suffisait d'observer cet acharnement qu'elle mettait à me désigner ses plaies pour en être convaincu. Il suffisait de se mettre une seconde à l'écoute de sa détresse. Et je ne l'avais pas fait… Pire, j'avais même fait le contraire. Comment avais-je pu croire, comment avais-je pu soupçonner, mettre en doute ? Je m'en voulais déjà de mon manque de confiance qui l'avait obligée à désigner, à même son visage, les traces de ses blessures et de sa tourmente. Comme si elle ne souffrait pas assez comme ça ! Comment avais-je pu en rajouter de la sorte ? Comment avais-je pu exprimer ainsi à voix haute de si monstrueuses paroles, sans aucune honte ni aucun scrupule, impudent à l'extrême ? Comment avais-je pu ne pas les apercevoir du premier coup ? Effronté que j'étais. Quelle ingratitude ! Mais voilà. L'erreur allait être réparée. Je me le promettais.

Dès à présent, puisque la situation le commandait, j'allais agir en fils exemplaire pour l'aider à traverser l'épreuve qui nous attendait tous, et elle en particulier. Oui, j'allais tout réparer. J'allais me pencher sur ses plaies et devenir le réconfort de sa douleur. Celui qui lui ferait oublier son triste sort. Je serais sa nouvelle joie de vivre. Son espoir. Son passé et son avenir tout à la fois. Et pour commencer, j'allais effacer ma faute. Et vite. Il le fallait. Il suffisait que je me penche un peu plus, que je scrute d'un œil neuf cet angle de son visage qui était resté dans l'ombre jusqu'à présent, que je fasse plus attention aux détails, que j'ouvre les yeux à peine plus grands, et j'allais découvrir, j'en étais sûr à présent, la véritable étendue des dégâts, qu'une impatience inexcusable m'avait fait négliger au premier abord. J'allais pleurer avec elle, me lamenter inlassablement et la rejoindre au cœur de son drame pour déplorer ensemble, elle et moi réunis, cet épouvantable sort, ce destin cruel et inéluctable qui venait de la marquer à jamais… Ah, ma mère, ma pauvre pauvre mère…

Il y a peu parfois d'un projet à sa réalisation et, dans les secondes qui suivirent, comme je me l'étais promis, j'ai tourné la tête un peu plus pour mieux observer ma mère. J'ai scruté le miroir attentivement, et c'est alors qu'elle m'a désigné de son doigt pointé une toute petite coupure sur l'aile gauche de son nez qu'un éclat de verre avait probablement occasionnée en la frôlant à peine. Que dis-je, « frôler » ? « Effleurer » suffirait. C'était une égratignure, rien de plus, une trace minuscule qu'on avait du mal à distinguer. Même pas vraiment rouge, juste un peu rosée, et qui passait totalement inaperçue à moins de se coller vraiment le nez dessus. J'étais médusé. Comment ma mère pouvait-elle réclamer tant d'attention et faire un tel tapage pour si peu ? Comment pouvait-elle user de termes à ce point disproportionnés pour décrire des faits si modestes en réalité ? Je ne comprenais pas. Après tout, c'était elle l'adulte. C'était elle qui devait nous apprendre le sens des responsabilités, à nous, les enfants ; nous montrer l'importance de la juste mesure et de la raison. Comment pouvait-elle agir ainsi ? Où, exactement, sous quelle couche enfouie de sa morale personnelle, pouvait-elle trouver les motivations profondes d'un tel comportement ? Quels justificatifs, quelles improbables explications, pourrait-elle fournir pour éclairer ses dires d'une lumière nouvelle ? Tout à coup, à mes yeux, rien n'avait plus de sens. Alors, soudain je me suis demandé, et cette question aussitôt éclipsa toutes les autres, je me suis demandé comment ma mère parvenait à ce point à ne se préoccuper que d'elle-même, et d'une blessure si insignifiante ? Où trouvait-elle cet art pour le faire, ce culot, cette audace, alors que le désastre de l'aquarium était, lui, bien réel, qu'il était encore aigu dans nos esprits, vision insoutenable, exposée là, à quelques pas de nous, inoubliable, inconsolable, à la grandeur du sol de notre chambre ? Et à cet instant, je me souviens avoir douté une fois de plus de ce que pouvait bien signifier l'amour maternel.

C'était un constat trop affligeant pour moi, trop navrant. Je songeais à mon frère, à sa peine, pour laquelle ma mère n'avait eu ni un mot ni un geste. Elle n'avait rien fait pour le rassurer, pour atténuer sa douleur, encore moins pour réparer avec nous les conséquences du sinistre. Elle aurait pu le prendre dans ses bras, je ne sais pas, lui promettre un autre aquarium, lui inventer des consolations qui auraient senti le mensonge mais qu'il aurait crues quand même, par faiblesse ou par nécessité. Elle aurait pu se jeter à genoux avec nous pour tenter de ramasser les poissons survivants au cours de ces précieuses minutes pendant lesquelles il était encore possible de les sauver, et cela eût été encore mieux. Mais non, rien, elle n'avait rien fait. Elle était « défigurée » et nous n'avions le droit que de nous pencher sur ce qu'elle vivait, de nous apitoyer à l'unisson sur son petit malheur personnel et de convenir sans conteste que plus rien d'autre au monde n'importait à cette heure.

Dans les jours qui suivirent, les petits poissons moururent les uns après les autres, même ceux qu'on avait réussi à remettre à l'eau dans les plus brefs délais. Sans doute, le choc de l'accident avait-il été trop brutal pour eux. À moins que leur milieu de vie n'ait été trop détérioré pour qu'ils puissent survivre dans ces nouvelles conditions. Comment savoir avec des petits poissons? Tout comme il n'existe guère de tribunal pour juger leurs impitoyables meurtriers, il n'existe pas plus de médecin pour les soigner et veiller à leur convalescence. Quoi qu'il en soit, tous rendirent l'âme à la chaîne, avec la logique désarmante des moutons qui se jettent en file dans un ravin sans fond.

Éploré, mon frère s'est demandé longtemps quelle sépulture donner à ces minuscules victimes. Il voulait quelque chose de simple et de noble à la fois, une sorte de petite cérémonie, sobre, sincère, qui serait à la mesure de ses espoirs déçus et de ses regrets infinis. Il ne trouva pas. La mise en terre lui semblait convenir à des corps d'une certaine dimension, mais pas à de si petits poissons, dont la taille était si modeste et la résistance, si fragile. Il les imaginait déjà perdus dans les profondeurs du sol, dérangés par les racines des arbres et des plantes, harcelés en permanence par les insectes souterrains, foulés par des milliers de pieds et de véhicules qui troubleraient sans cesse leur quiétude. Non, cela n'allait pas. Il songea alors à l'incinération, mais cela lui faisait trop penser à une recette de cuisine. Il ne voulait pas qu'on puisse l'accuser d'avoir apprêté et dégusté ses propres poissons comme des mets exotiques. Non, décidément rien ne semblait convenir dans un pareil cas.

Au bout du compte, désespéré et ne sachant que faire, mon frère se saisit d'un vieux sachet de soupe instantanée qu'il avait récupéré. Il y jeta les petits corps morts qui semblaient tout à coup des milliers et il plia soigneusement l'extrémité du sachet pour le rendre hermétique. Avec des gestes lents et solennels, il le déposa ensuite dans la cuvette des toilettes. Quelques secondes, le regard attendri, il observa la frêle embarcation qui demeurait à la surface, cherchant son équilibre. Alors, il redressa la tête et je vis son visage devenir pâle.

Dans une sorte de sanglot, il m'a dit qu'il espérait que les poissons retourneraient un jour à l'océan. Puis, il a tiré la chasse d'eau et le bateau blanc a disparu au creux d'un tourbillon argenté et bleu parsemé d'étoiles filantes.

Alain qui part

J E N'AI JAMAIS VU LA MORT. Je veux dire, personne autour de moi n'est mort. Pas d'ami. Pas de proche. Elle n'a jamais surgi sous mes yeux, même pas par accident. Je me suis toujours dit que la mort devait être quelque chose de terrible. Une déchirure insoutenable. Surtout lorsqu'elle touche quelqu'un qu'on aime. Je suis content que cette épreuve m'ait été épargnée jusqu'à ce jour. Ainsi, face à la mort, je suis vierge. Totalement. Qui dois-je remercier? La chance ou le hasard? Je ne sais pas. Je ne sais même pas si c'est vraiment une chance.

Vendredi dernier, j'étais à la maison avec mon chum, Claude, et le téléphone a sonné. C'est Claude qui a décroché. Quelqu'un, dont j'ai oublié le nom, lui a alors appris que son ami Alain n'allait pas très bien, qu'il y avait des complications et qu'on n'arrivait pas à le sortir de sa pneumonie... Alain est un vieil ami de Claude. Un véritable « saint », un « martyr de la cause », qui prend le risque de sacrifier sa santé pour que les choses changent en Montérégie. « Ici, ils croient encore que le sida, ce n'est pas pour eux », dit-il. « Je veux les forcer à ouvrir les yeux et obtenir dans ma région les mêmes services de pointe qu'à Montréal. » Et c'est pour ces mêmes raisons qu'il s'épuise depuis des mois à mettre en place sur la Rive-Sud de nouvelles associations d'aide et de prévention face au sida, parce qu'elles font encore aujourd'hui cruellement défaut et qu'il a souffert, lui, plus jeune, de se découvrir séropositif et sans recours dans son Granby natal. Alain est à la fois un héros de la lutte et du renoncement. Un héros de la lutte d'abord à cause de tous les combats qu'il a entrepris, mais aussi un héros du renoncement, parce que, depuis des mois déjà, il ne prend plus aucun médicament et se laisse dériver au gré des incertitudes de sa maladie. Par chance, jusqu'à présent, le bateau Alain s'était à peu près maintenu au niveau des flots, faisant face aux avaries tant bien que mal, souvent fatigué, mais solide et toujours là.

Alain, je ne le connais pas très bien. J'ai échangé quelques phrases avec lui à l'occasion d'un ou deux soupers à la maison, ou lorsqu'il venait dormir chez nous pour ne pas retourner à Longueuil en pleine nuit. Ces quelques fois où je l'ai vu, il avait beaucoup bu et s'endormait à table ou sur le canapé au beau milieu de nos conversations. Je me souviens de sa tête qui tombait lentement sur sa poitrine quand l'alcool avait raison de lui. De temps en temps, il se réveillait en sursaut et ouvrait les yeux avec un sourire tout en affichant l'air étonné d'un enfant au pays des jouets. Il essayait alors de reprendre la conversation là où elle était rendue comme pour s'excuser d'avoir pris congé sans nous en avoir avisé.

Alain et Claude avaient été amants autrefois et si je n'ai jamais connu les détails de ce qu'avait pu être leur histoire, je savais du moins ce qu'il en restait. Tous deux se voyaient encore à intervalles réguliers, bien que de plus en plus espacés. Chargée de souvenirs, de non-dits et peut-être aussi de reproches étouffés, leur relation était difficile à entretenir, et ce, malgré l'attachement qu'ils avaient conservé l'un pour l'autre.

Lorsque Claude m'a annoncé que les médecins avaient des inquiétudes au sujet de la santé d'Alain, il a ajouté aussitôt : « J'irai le voir cette semaine », et je trouvais ça bien. Et puis les jours ont passé et Claude ne se décidait pas. Il m'a avoué alors qu'il avait une peur panique des visites à l'hôpital, surtout pour voir un ami, et surtout s'il risquait de le trouver plutôt diminué. Il imaginait à l'avance un visage maigre et creusé dont il ne pourrait supporter le spectacle, un regard éteint, gêné, accusateur pour ceux qui étaient en bonne santé, et un silence lourd qu'aucun mot ne pourrait parvenir à combler. Moi, je ne savais pas quoi dire. D'un côté, je comprenais la réaction de Claude, mais de l'autre, je me disais qu'il fallait y aller quand même, qu'il fallait faire un effort, pour Alain, au nom de leur amitié, et pour lui montrer qu'on ne l'oubliait pas, que la solidarité était plus forte que tout. Pourtant, dans les faits, je trouvais moi aussi qu'il devait être bien difficile d'aller voir un ami malade. Y aurais-je été moi-même ? Je n'en étais pas si sûr. Finalement, c'est Alain qui a réglé la question. Il n'avait pas de temps à perdre, lui, pas le temps d'attendre que Claude ait trouvé des réponses à ses hésitations. Il a pris l'initiative d'appeler, un matin, de sa chambre d'hôpital. Égal à lui-même, il était catégorique et impatient. Il a traité Claude de « sans cœur » et lui a demandé quand est-ce qu'il allait se décider à venir. Claude s'est senti encore plus mal à l'aise. Il a dit : « Je viens », et il y est allé.

L'hôpital d'Alain est perdu au fin fond des nouveaux quartiers de Longueuil, entre autoroutes et zones industrielles. À son retour, Claude me parlait presque davantage des difficultés qu'il avait eues à trouver son chemin que d'Alain lui-même. Il était soulagé. Dans l'ensemble, ça s'était bien passé. Alain était faible, mais il « toffait », il était très entouré et avait subi toute une batterie de tests dont on attendait les résultats avant de se lancer dans une nouvelle évaluation de santé, c'est-à-dire de ses chances de survie. Il avait mal dans le dos sans qu'on sache vraiment pourquoi et, à cause de cela, il était question de le transférer à Montréal où il serait probablement mieux soigné. Néanmoins rien n'était décidé car, sur ce point, comme toujours, Alain restait intraitable, défiant la peur et les lois de la médecine. Il avait décidé que ce serait la Montérégie ou rien… Il voulait forcer l'équipe de Longueuil à se confronter à la réalité du sida, à acquérir les techniques et les connaissances particulières pour répondre aux besoins des malades. Plus d'une fois, disait-il, il avait entendu des réflexions désobligeantes dans les couloirs de l'hôpital, sur lui, sur sa maladie et sur ceux qui se mettaient en situation de l'attraper. Cela lui était intolérable et, fidèle à son habitude, il s'était mis en tête d'intervenir pour repousser le plus possible les frontières des préjugés et de la discrimination.

Encore une fois, quelques jours ont passé, et puis il y a eu cet autre appel téléphonique. Steve, un proche d'Alain qui veillait sur lui presque jour et nuit, nous annonçait que rien n'allait plus. Alain avait quitté l'hôpital pour retourner chez lui, à Longueuil. Les résultats de ses tests ne l'intéressaient pas, il refusait d'essayer les antiviraux et ne voulait rien savoir du moindre traitement. Il avait toujours mal au dos et prenait de la morphine pour atténuer la douleur. C'était tout. Hormis cela, il dormait en permanence et ne se réveillait que pour avaler de petites bouchées ou aller aux toilettes. Claude a demandé s'il était possible de lui parler et Steve s'est rendu dans la chambre d'Alain pour lui passer le combiné. Alain n'a pas parlé longtemps. Son souffle était de plus en plus court et quelques phrases à peine lui coûtaient déjà de gros efforts. Il a dit qu'il en avait assez, qu'il était fatigué et il a confirmé qu'il ne voulait plus aucun traitement. « Je t'avais prévenu que je n'étais pas éternel! » a-t-il ajouté à la blague. Et puis il a précisé : « Je ne veux pas voir la nouvelle année. Je te le dis à toi parce qu'on est de bons amis et qu'on s'aime. Je suis revenu ici pour mourir. » Et ce fut tout.

Quand Claude a raccroché, j'avais tout deviné juste à entendre les quelques mots qu'il avait prononcés. Je me suis dit : « Il va exploser. Ça va être trop dur pour lui. Trop dur à supporter. » Je pensais que la mort, on ne parvenait jamais à s'y habituer, même si on l'avait déjà vue mille fois et, encore plus, si elle nous était peu familière. Je m'attendais à des larmes, à des cris, à ce qu'il soit inconsolable et que toute sa détresse jaillisse et coule à flots comme le déferlement d'un déluge impossible à contenir. Mais il ne s'est rien passé. Vu de l'extérieur, on aurait pu croire que rien n'avait changé entre hier et aujourd'hui. Pourtant Claude n'est pas un cœur de pierre. Loin de là. Il a une belle sensibilité, sincère et profonde. Il ne retient jamais ses larmes lorsqu'il les sent venir et il pleure sans honte pour exorciser ses peines, désarmant comme un nouveau-né. Je me suis dit : « Il garde tout en dedans. Il ne se rend pas encore vraiment compte.

Ça sortira demain, ou après-demain… Quand il aura pris le temps d'y penser, de mesurer l'étendue de cette nouvelle perte qui va lui être imposée… » Mais rien n'est venu. Ni le lendemain ni après. Les jours ont continué à passer et nous n'avons presque plus parlé d'Alain. Je ne sais pas pourquoi. Nous avons fêté Noël comme n'importe quel autre Noël, sans un mot pour lui. Le 29 décembre, c'était l'anniversaire d'Alain et Claude m'a demandé : « Peut-être que je devrais l'appeler ? Je ne sais pas si ça se fait de souhaiter bon anniversaire à quelqu'un qui ne veut plus vivre. » J'ai répondu que d'après moi, oui, ça se faisait. J'ai proposé : « Tu peux lui dire simplement que tu penses à lui à l'occasion de ce jour spécial. » Mais Claude n'a pas appelé et je n'ai ni insisté pour qu'il le fasse ni posé de questions pour comprendre. Maintenant, nous nous rapprochons lentement de cette échéance du 1er janvier qu'Alain prétend ne pas vouloir connaître et je me demande ce qui va arriver. Nous sommes tous dans le silence et l'incertitude. D'un côté il y a nous, et de l'autre, il y a Alain qui part. Deux mondes qui semblent totalement indifférents l'un à l'autre, comme déjà séparés. Alain a demandé qu'on ne l'appelle pas, il a dit qu'il ne voulait plus parler à personne. Quand je pense à lui, je le vois en train de s'endormir à notre table et j'ai l'impression que c'était hier encore. Je suis complètement perdu. Incrédule. Tout cela existe-t-il vraiment ? Alain est-il vraiment en train de nous quitter comme ça, doucement, sans que rien ne change dans notre quotidien ? Et jusqu'à quand pourrai-je dire encore que je n'ai jamais vu la mort ?

Père et fils

B IEN À L'AISE au fond de votre fauteuil préféré, vous voici à contempler cette photo encadrée, qu'il y a longtemps déjà, vous
aviez posée avec émotion sur la petite table juste à côté. Une de ces
photos en noir et blanc aux bords dentelés comme on les faisait
autrefois. Vous observez cette lumière qu'on dirait tout droit sortie
d'un film de Marcel Carné. Vous êtes là, tranquille. Vous avez vingt,
trente ou cinquante ans. Qu'importe. Votre regard ne peut se
détourner de ce couple sur la photo. Votre papa et votre maman, du
temps où ils s'aimaient si fort. Comme vous les regardez. Votre
papa surtout, car il tient serré dans ses bras ce petit avorton qui a
l'air ridicule dans cette immense robe de baptême ouvrée, dont on
affublait les nourrissons autrefois, les couvrant des pieds à la tête.
Vous-même, oui. Comme il vous tient, votre papa. Comme il est
beau, avec sa coupe de cheveux un peu carrée sur les côtés, qui
ménage des mèches plus longues relevées sur le front et quelques-
unes, irréductibles, qui pendouillent un peu vers les tempes. On
dirait James Dean, n'est-ce pas? Vous n'avez pas encore pensé à le
lui dire, pourtant chaque fois vous y songez en voyant cette photo.
Vraiment. C'est frappant comme il ressemble à James Dean. Pas
dans la vie, bien sûr. Pas aujourd'hui, non plus. Mais là, comme ça,
dans cette pose. Comme il rirait si vous le lui disiez. Il serait même
capable de se moquer de vous. Cher papa! Comme il sourit,
comme il a l'air amoureux. Il en a l'air, oui. Si heureux, si parfaitement comblé. Mais l'est-il vraiment, dans le fond? Vous ne savez
plus. Il semblerait que son regard se perde. Il semblerait même qu'il

soit ailleurs. Voilà ce dont vous vous rendez compte, tout à coup, là, sans lâcher le cliché des yeux. Alors, finalement, vous vous demandez, qui aime-t-il ce papa-là? Qui aime-t-il en réalité? Vous dites « aimer » mais vous pensez « pas avec son cœur », non, avec son cœur vous savez, vous espérez savoir, vous pensez plutôt « avec son corps ». Qui aime-t-il, ce papa-là, avec son corps? Où vont, où sont allés, ses pensées, ses désirs, ses rêves, lorsque la famille était absente, lorsque les obligations s'atténuaient, que les conventions cessaient d'imposer leurs lois, lorsque venait l'heure des vacances et qu'il marchait seul sur la plage la nuit ou lorsqu'il partait à la chasse avec cet ami inséparable? Vers qui, vers quoi a-t-il pu tendre? Vous vous dites : « Si ça arrive aux autres, pourquoi pas à lui? » Vous cherchez maintenant… Aimait-il toutes les femmes, papa, ou aimait-il seulement maman? Aimait-il les hommes aussi, les papillons, les poupées russes? Les apparences sont tellement trompeuses, parfois. Et si c'était vous, son enfant, qu'il aimait ou qu'il avait aimé? Vous êtes son petit garçon après tout. Un petit garçon qui n'a pas oublié qu'il regardait son père le soir, bouche ouverte, yeux écarquillés, qui se déshabillait avant d'aller au lit. Un petit garçon qui glissait sa main entre ses cuisses lorsque le père paraissait, totalement nu, enfin, dans le petit cercle de lumière tamisée que diffusait la lampe de chevet. Quand il paraissait comme par hasard exactement dans les limites de ce cercle-là qui illuminait son corps. Intimité de la chambre. Rencontre entre hommes. Rendez-vous secret de la pénombre qui vous enveloppait. Connivence. Un petit garçon que d'autres hommes touchaient dans le métro, profitant des foules qui compriment et compressent. Main collée, fesses serrées, sexe bandé. Un petit garçon, oui, qui regardait son père, au retour du travail, et lui faisait des clins d'œil, convaincu de la complicité qu'ils partageaient dans ces métros-là. Main collée. Fesses serrées. Sexe bandé. Car pourquoi le père ne ferait-il pas aux autres ce que d'autres pères lui faisaient à lui? Questions saugrenues, allez-vous vous dire. Peut-être, mais vous ne leur échapperez pas. Vous voudrez chasser ce père qui vous a fait mal. Vous le détesterez. Vous voudrez le punir. Vous penserez aux départs. Aux ruptures. Mais l'absence vous fait encore plus souffrir. Vous vivrez la douleur, le doute, la perte des repères, du temps et de l'espace. Pour ne pas mourir, vous reviendrez à votre père, à cette émotion que vous cherchez à nouveau dans la photo en noir et blanc aux bords dentelés. Vous reviendrez à l'amour. Vous direz « aimer » mais vous penserez « pas avec son cœur », non, avec son cœur vous saurez, vous espérerez savoir, vous penserez plutôt « avec son corps », mais avec son corps, dans le fond, voudrez-vous vraiment savoir ?

Christian Raux tué par sa mère

C'ÉTAIT UN GARÇON qui était resté boutonneux sur le tard, comme si son adolescence avait refusé de lâcher prise sur son corps, s'obstinant à conserver présentes et visibles les traces de cet âge. Plus que tout, il était passionné de musique. Et il va sans dire qu'on parle ici de la « grande musique » ! Bien avant que cela ne devienne une mode, il avait déjà pris l'habitude de brancher des écouteurs sur sa chaîne stéréo pour écouter ses disques directement dans les oreilles. Il avait absolument tenu à me faire essayer, en précisant : « Quand tu mets ton casque sur les oreilles, tu as l'impression que la musique arrive en arrière de ta tête, mais c'est normal. C'est là que se rejoignent les sons. » Et tout en parlant, il faisait le geste d'envelopper son crâne de ses mains aux doigts immenses et blancs. Il avait des mains d'écolier appliqué, de celles qu'on s'attendait toujours à trouver plus ou moins couvertes de taches d'encre. Il riait en permanence, d'un rire un peu gras qui détonnait avec le personnage. Très heureusement, l'expression réjouie de son visage ne manquait pas de couvrir presque aussitôt le léger malaise que suscitaient immanquablement ses éclats de rire. Il fallait toujours quelques instants pour s'habituer, puis on n'y prenait plus garde – jusqu'à la prochaine fois ! Mais il savait aussi être sérieux. Il aimait servir de référence dans son domaine. En me reprenant le casque des mains, il avait ajouté : « Pour le *Don Giovanni* de Mozart, il n'y a pas à hésiter. La seule version possible, c'est celle de Furtwängler. Tu ne peux pas te tromper ! » Et moi, je me demandais d'où il sortait des noms pareils que je n'avais jamais entendus et que je ne me serais pas même risqué à écrire. Il a fallu que je cherche aujourd'hui, pour en trouver l'orthographe exacte.

Comme tous les spécialistes, il avait ses préférences qu'il concédait à livrer sur le ton de la confidence, donnant le sentiment de partager un moment d'intense émotion. C'est ainsi qu'il m'avait révélé, tel un secret : « Moi, ce que j'aime le plus dans le *Requiem* de Verdi, c'est le "Dies iræ". Les trois coups qui se répètent et qui reviennent à la fin du "Libera me", on dirait le destin qui frappe à la porte. » Et il ne savait pas que le destin, justement, était en train de frapper à la sienne. Il rêvait en couleur. Il avait décrété : « Plus tard, je serai chef d'orchestre. » Chef d'orchestre ! Et je regardais ce petit bout d'homme qui s'enflammait tellement dès qu'il parlait musique, qui savait tant de choses que je me sentais toujours tout petit devant lui et qui, surtout, savait déjà ce qu'il voulait devenir. Il me fascinait. Je me taisais pour l'écouter mieux. Il n'avait pas vingt ans. Il était plein de projets et de détermination, et il savait garder toutes ses illusions d'enfant encore vivantes au creux de lui. La vie lui semblait une belle promesse d'avenir. Ses cheveux étaient noirs et brillants, ses traits un peu épais mais ses dents si blanches que le moindre sourire illuminait son visage. Il s'appelait Christian Raux. Il habitait une petite maison juste en face de l'immeuble de ma mère, à Saint-Brice-sous-Forêt. Je ne suis même pas sûr de l'avoir connu vraiment.

Christian Raux, je ne l'ai jamais rencontré ; c'est lui qui est venu au-devant de moi. C'était dans un autre village, une autre maison. J'avais accompagné ma mère chez une de ses amies. Cela faisait partie du rituel des dimanches, de ces dimanches où je venais en visite à Saint-Brice-sous-Forêt, et pendant lesquels je m'ennuyais tellement que j'acceptais de suivre ma mère à droite et à gauche dans sa propre chasse contre l'ennui. Tout se déroulait toujours de la même façon. Ma mère et ses amies se retrouvaient entre femmes, généralement divorcées ou séparées, et elles prenaient le thé ensemble autour de pâtisseries ou d'un gâteau fait maison, tout en cousant, brodant, et en évoquant leur triste statut de femmes opprimées, sans amour, qui se sentaient déclassées, asservies, et qui s'emportaient en évoquant leur sort, se donnant des conseils les unes aux autres pour mettre l'homme au pas, que ce soit sur un plan privé ou professionnel. Leur ton montait et descendait sans cesse, passant de la révolte aux lamentations. Elles étaient intarissables. Au bout du compte, elles ne réglaient jamais rien, ne prenaient jamais aucune décision, mais cela coupait leur après-midi de quelques heures et, dans le fond, ma mère n'en demandait pas plus. Couper le temps qui la séparait du moment de sa mort, c'était exactement ça, elle n'en demandait pas plus.

Autour de ces femmes, leurs enfants, et parmi eux quelques garçons, les seuls qui fussent admis dans leur cercle. Interchangeables. Invisibles et muets. Privés du droit de parole. Minoritaires. Et parmi eux, moi. Trop souvent. Toute mon adolescence et ma vie de jeune adulte ont été marquées par ces rencontres-là. J'ai grandi abreuvé de ces discours; j'aurais pu les réciter par cœur, reprendre à mon compte ces mots qui pourtant s'en prenaient à mon identité. J'aurais dû m'enfuir, ne pas accepter, ne plus jamais revenir. J'étais déjà trop vieux pour endurer ça. J'aurais dû m'opposer. Contester. Mais il existe une usure face à l'aliénation qui anesthésie même les plus simples réflexes de survie. Et puis les autres restaient aussi. Assis, bien tranquilles, isolés des femmes et isolés les uns des autres. Immobiles. Fictifs. À attendre que le temps passe, pour eux aussi.

Ce jour-là, une femme que je ne connaissais pas s'était jointe au groupe. Une institutrice de Saint-Brice, venue avec son fils, qui se tenait à l'écart, silhouette élancée et discrète, sans un mot, sans un geste, comme absent, ses yeux rêveurs éternellement perdus dans le vide. Il portait un immense chandail de couleur terne dans lequel il disparaissait en entier. Ces femmes-là avaient toute la même façon d'habiller leurs garçons, dans des vêtements trop grands, choisis pour leur robustesse, leur rapport qualité-prix, plus que pour leur élégance, et qui cachaient leurs formes au lieu de les mettre en valeur. Ma mère et moi étions arrivés les derniers. Ma sœur Évelyne nous accompagnait aussi. Nous avons monté les marches jusqu'à un étroit salon où tous se tenaient déjà serrés et, aussitôt, chacun avait écarté sa chaise dans un sens ou dans l'autre pour nous faire de la place. Au hasard de cette distribution improvisée, je m'étais retrouvé à bonne distance du garçon que j'avais à peine vu, à peine salué, et qui continuait à disparaître aux regards, sa tête à moitié avalée par la pénombre du coin où il était assis.

Autant était-il effacé, autant sa mère se faisait-elle remarquer.

C'était une assez jolie femme, aux yeux noirs, elle aussi, aux joues rondes et aux lèvres très rouges. Ses ongles étaient vernis et on voyait tout de suite qu'elle avait pris du temps pour arranger sa mise avant de sortir. « Une coquette », ai-je pensé, et ce n'était pas désagréable comme impression. Elle bougeait beaucoup, parlait abondamment et riait à gorge déployée à la moindre occasion. Je l'ai regardée quelque temps comme on observe souvent les gens un peu trop expansifs, sans trop savoir pourquoi, attiré par le bruit et le mouvement, un peu par réflexe. C'était elle l'attraction de la journée, la nouveauté sur laquelle se reportait naturellement l'attention générale. Son air enjoué attirait la sympathie. Elle aimait séduire, cela se voyait. Ses sourires captivaient et, à plusieurs reprises, elle prit un plaisir manifeste à plonger ses yeux dans les miens et à les tenir là un peu trop longtemps, juste ce qu'il fallait pour indisposer un jeune homme, mais sans jamais se montrer déplacée, comme ça, en prenant un petit air attendri. Une vraie mère. Prévenante et douce. Comme celles qu'on montre en exemple dans les livres d'enfant.

Du temps a passé. Des gâteaux aussi, et des tasses de thé à la chaîne. Du temps que je traversais alourdi par cette inévitable sensation de vide et d'impuissance qui me tombait toujours sur les épaules dans ces moments-là. En fin d'après-midi, ma mère a commencé à montrer des signes d'impatience. Elle était fatiguée. Elle voulait partir. Je ne me suis pas fait prier, ma sœur non plus. Les autres ne décollaient pas. Ma mère et ma sœur ont fait le tour de tout le monde pour dire au revoir, bise à bise, comme dans les films de Fellini, sans même se toucher les joues, tandis que je faisais signe de loin, puis nous sommes retournés à Saint-Brice.

À peine rentrés, le téléphone a sonné. Évelyne s'est précipitée pour décrocher. Le téléphone, dans cette maison, c'était à elle. Mais elle a juste dit deux ou trois mots, en prenant une sorte d'air exaspéré, puis elle m'a tendu le combiné en grommelant que c'était pour moi. J'ai demandé qui c'était, et elle a haussé les épaules en lâchant: « Je sais pas! » Ça m'a paru bizarre. Personne ne pouvait m'appeler ici. Personne ne connaissait le numéro de téléphone de ma mère et personne ne savait que je me trouvais là, en cet après-midi. Un bref instant, j'ai pensé à une farce, j'ai pensé ne pas y aller, mais machinalement mes pas me portaient déjà vers ma sœur, et quand j'ai pris le combiné, je n'étais toujours pas convaincu qu'on n'était pas en train de me jouer un tour. J'ai murmuré: « Allô » sur un ton prudent et une voix de garçon a répondu aussitôt.

La voix a dit: « Tu ne me connais pas. Je m'appelle Christian. Je suis le garçon de tout à l'heure. Chez l'amie de ta mère. Je ne sais pas si tu m'as remarqué. Tu te souviens de moi? » La voix n'était pas hésitante du tout. Aucune gêne, aucune inflexion d'incertitude dans son débit. Elle allait droit au but, au contraire. Avec une assurance qui m'étonna instantanément. J'étais cloué sur place. J'ai répondu: « Oui. Tu es où? » Et la voix a dit: « Je n'ai pas bougé. Je suis toujours au même endroit. Elles sont en train de discuter en haut. Je suis descendu pour téléphoner. J'ai cherché le numéro de ta mère dans l'annuaire. Je dois faire vite. » C'était très surprenant pour moi ce ton de mystère qu'il prenait. Je n'étais pas habitué à ça. Je n'étais pas habitué aux gens qui faisaient des choses dans le dos des autres, qui agissaient en douce, comme ça, par derrière. Ça me gênait un peu, mais en même temps, je trouvais ça excitant, cela piquait ma curiosité et, de suite, j'ai voulu en savoir plus, j'ai voulu comprendre. Je me demandais bien ce qui avait pu pousser un garçon que j'avais à peine vu, à se précipiter pour trouver le numéro de téléphone de ma mère et à m'appeler aussitôt, comme pour lancer un appel au secours. Je me sentais un peu flatté aussi. Je me sentais… choisi. C'était bien. Je me suis mis à parler tout bas, comme lui, et comme si moi aussi j'avais besoin de me cacher, que j'étais en tort, en faute. J'ai demandé: « Tu veux quoi? » Et il a dit: « Je vais partir bientôt. Ma mère va me déposer chez moi, puis elle continuera en voiture pour aller chercher ma sœur chez mon père. » Avant qu'il continue, j'ai pensé: « Tiens, il a une sœur, lui aussi » et une sorte de complicité a commencé à naître aussitôt entre nous. Juste à cause de ça. De nos sœurs. Et aussi parce que je venais de comprendre que ses parents étaient divorcés, comme les miens.

Ensuite, il a terminé en donnant son numéro de téléphone et en me demandant de l'appeler quelques minutes plus tard.

Pendant les instants qui ont suivi, je suis resté avec une impression mêlée d'excitation et d'absurdité. J'aimais l'idée que, chez les gays, les convenances et les codes sociaux soient si souvent bousculés. J'avais déjà remarqué que nous ne faisions jamais rien dans le même ordre et de la même façon que les autres. Cela me plaisait et renforçait une singularité à laquelle j'étais attaché. Cela dit, ce garçon jouait d'audace. Je tournais en rond, aussi agité qu'un ours en cage. D'un côté, je trouvais cette histoire complètement folle, je ne comprenais pas quel rôle je pouvais aller jouer là-dedans. Pourquoi moi ? J'essayais de faire revenir en pensée les traits du jeune garçon mais à part ses yeux et ses cheveux noirs, son grand chandail beige et sa moue boudeuse, le reste me semblait très flou. Je me suis rendu compte alors que j'avais de lui un souvenir à la fois très précis et très incertain. Je me suis demandé comment cela était possible et ça n'a fait que renforcer l'impression de singularité que j'étais en train de vivre. Je me disais qu'il se passait quelque chose d'extraordinaire dans ma vie, que ce type était extraordinaire, lui aussi. À cause de ce paradoxe qui était en lui, de ce double visage qu'il m'avait montré, d'abord complètement éteint, pétri de timidité, et puis follement audacieux, tout à coup, à la limite du déraisonnable. Je ne pouvais pas passer à côté de ça. Impossible. Et en même temps, j'étais presque sûr de déboucher sur quelque chose de complètement banal. J'allais me ridiculiser, je le craignais. Ce type était peut-être fou. Il allait me manipuler. Me faire composer un numéro que je ne connaissais pas, chez des gens que je ne connaissais pas, il me faudrait le demander, lui, et je ne savais même pas si c'était son vrai nom, et on allait me répondre : « Mais à qui voulez-vous parler exactement ? Qui êtes-vous ? », on allait m'insulter, me raccrocher au nez, et ce serait la honte de ma vie.

Il fallait peu de temps pour atteindre Saint-Brice de là où il était. Je le savais : je venais de le faire. Alors, très vite, je me suis dit que c'était bon, que je pouvais appeler, qu'il serait rentré, mais je n'osais pas. Toujours cette fichue peur de tomber sur une mauvaise surprise. Et puis, ma mère et ma sœur ne se décidaient pas à quit-

ter le salon. Appeler devant elles me gênait. Enfin, je ne sais pas. Je
me trouvais mille excuses. Je m'organisais tout un système de
pensée pour me convaincre que je voulais appeler, que ma détermination était établie mais que seules les conditions n'étaient pas favo-
rables, et enfin bref, après ce qui m'a semblé des heures impossibles
à vivre et à traverser, je me suis saisi du combiné et j'ai composé le
numéro. Tout est allé très vite ensuite. On a décroché aussitôt. Je
n'ai même pas entendu sonner. J'ai dit : « Allô ! » et il a répliqué :
« Enfin ! » Seulement ça, et c'était bien sa voix. Alors, j'ai compris
qu'il ne plaisantait pas, que rien n'était une plaisanterie dans tout
ça, et qu'il était sérieux, au contraire, vraiment sérieux.

Il m'a dit de bien l'écouter, et ce ton presque autoritaire dont il
usait tout à coup m'a pris au dépourvu. Je n'ai pas protesté. Je l'ai
laissé faire. Je l'ai laissé me guider, comme si je sentais confusément
que la situation voulait ça, cette espèce de pouvoir qu'il avait déjà sur
moi. Sa voix avait changé. Son débit de plus en plus rapide donnait
l'impression désormais que le temps était compté, qu'une menace
planait au-dessus de nous, de lui surtout, et qu'il fallait faire vite.
Nous étions en danger. Dès cette minute, j'ai eu l'intime conviction
de vivre des moments très graves, très solennels, décalés de l'ordre du
monde qui nous entourait, comme si ma vie dépendait de lui. Il m'a
dit : « Écoute, j'habite juste en face de chez ta mère, si tu veux, on
peut se voir. » J'ai demandé : « Quand ? » Et il a répondu : « Maintenant. » Je n'ai même pas pensé à poser plus de questions. Son
« maintenant » était exactement la réponse que j'attendais à ce
moment-là, et j'aurais refusé toute autre proposition qu'il aurait pu
me faire. Je voulais savoir. Avancer dans cette histoire. Je me sentais
appelé. Je voulais répondre. Aller de plus en plus loin. Ne pas résis-
ter. Il m'a conseillé de suivre l'allée qui partait vers la gauche, en bas
de l'immeuble. Il m'a dit qu'il y avait une petite maison avec un portail blanc et des grilles noires. Que c'était là. Qu'il m'attendait. J'ai
acquiescé. J'ai raccroché. J'ai pris mon manteau et j'ai ouvert la porte
du palier. J'ai lancé un « Je sors » à la cantonade qui a vaguement fait
lever la tête de ma mère et de ma sœur. Je n'en ai pas vu plus. Je
courais dans l'escalier et je jure que pas une seconde je n'ai réfléchi à
ce qui pouvait bien advenir de moi en cet instant.

Dehors, je me suis aperçu à la lumière du jour qu'il devait être quelque chose comme dix-neuf heures trente, vingt heures, et je suis resté étonné qu'on en soit déjà là, si tard. J'ai tourné à gauche, j'ai marché le long de l'allée, comme on me l'avait indiqué, et j'ai aperçu la petite maison avec le portail blanc et les grilles noires. Les maisons étaient si peu nombreuses dans ces cités de banlieue – toutes en tours, en barres et en carrés – que la moindre petite bicoque avec un toit et un jardin prenait immédiatement des allures de pavillon bourgeois et attirait le regard comme un trésor sur un tas de sable. Pourtant, je dois avouer que je n'avais jamais fait attention à ce coin du quartier. Ce n'était pas ma ville. Dès que je suis arrivé au portail, j'ai vu les rideaux bouger à une fenêtre du rez-de-chaussée et, à peine ai-je eu le temps de suivre les quelques mètres de gravier crissant, que la porte de la maison s'était déjà ouverte. Christian était là, très tendu, suspicieux, qui jetait des regards partout à droite et à gauche tout en m'adressant des signes immenses et impérieux pour que je me dépêche d'entrer. Il a refermé la porte derrière moi, puis, sans prendre le temps d'un sourire, il m'a montré un escalier sur la droite. « Nous allons monter dans ma chambre, a-t-il murmuré, c'est plus prudent. »

Une fois en haut, il m'a poussé dans une petite pièce pleine de livres et de disques, il a refermé la porte, puis il s'est assis et il a lâché un immense soupir en levant les yeux au ciel. « Eh bien, dis donc, s'est-il écrié, j'ai cru que tu ne viendrais jamais ! » Sa remarque m'a surpris. Il me semblait pourtant que tout s'était fait tellement vite, entre son appel et ma venue chez lui, j'avais à peine eu le temps d'y penser, de me rendre compte de ce qui m'arrivait, mais lui, au contraire, manifestait l'impatience et l'épuisement de ces attentes interminables qui usent notre résistance et nous abandonnent, totalement rongés par l'inquiétude et la peur de ne plus y croire. Puis, d'un coup déjà, il retrouvait son énergie et sautait sur ses pieds. Alors il a dit ceci : « Je dois faire attention à tout. » Il a ajouté : « C'est à cause de ma mère. Elle sait que je suis *comme ça*. Elle me surveille… Elle m'interdit de me faire des amis, de rencontrer des gars. Tous les hommes qui m'approchent sont suspects à ses yeux. Elle est persuadée qu'on ne pense qu'à faire *des cochon-*

neries, c'est son expression! Que je sois aux hommes ne la dérange pas plus que ça, dans le fond, mais elle ne supporte pas l'idée que je puisse passer à l'acte. Ça la dégoûte! Je ne peux jamais sortir. Quand elle s'en va, elle m'enferme ou elle me laisse avec ma sœur, ce qui est pire. Ma sœur lui rapporte tout. C'est une vraie garce, une espionne. Elle répète ce que je fais, ce que je dis. Elle me dénonce. Je ne la supporte pas. Ma mère et elle, c'est la même femme à deux têtes et à deux âges différents. »

Il marchait tout en parlant, visiblement pressé par le temps, angoissé, et rien qu'à découvrir ses traits tirés et sa soudaine expression de gravité, j'ai aussitôt renoncé à toutes ces petites questions d'agace-pissette qui m'étaient venues à l'esprit à un moment ou à un autre, et que j'aurais posées en prenant des airs si la situation s'y était prêtée, du genre: « Pourquoi moi? », « Comment sais-tu que je suis gay? », « Quand est-ce que tu m'as remarqué? » ou « Qu'est-ce que tu attends de moi? » Non, ce n'était pas possible. Nulle place pour le jeu ici. Ni pour la séduction, sous quelque forme que ce soit. Nous étions d'emblée dans un registre sombre. Une sorte de pression pesait sur nous – une urgence – que je ressentais d'autant plus qu'il me semblait retrouver dans les propos de Christian certains des litiges qui m'avaient opposé, en un temps pas si lointain encore, à ma propre mère et à ma propre sœur. J'avais l'impression de revivre mon passé mais en pire. J'ai dit: « Mais pourquoi elle t'a pas enfermé cette fois-ci? Et pourquoi t'es tout seul? » Il m'a répété ce qu'il m'avait déjà dit, qu'elle était partie chercher sa sœur chez son père. Et puis, il a confirmé ce que j'avais déjà deviné. Que ses parents étaient divorcés. Il a insisté sur le fait qu'à cause de ça, il ne portait pas le même nom que sa mère. Son nom à lui était Raux, Christian Raux, tandis que sa mère avait repris son nom de jeune fille. Il m'a raconté qu'on l'appelait souvent du nom de sa mère et que ça l'énervait. Il ne voulait pas que je fasse la même erreur. C'est pourquoi il en parlait dès maintenant. Il avait un air très sérieux pour dire ça. Et puis il a continué. Son père habitait le village d'à côté mais il ne le voyait pas souvent, un week-end sur deux, comme d'habitude. Il a ajouté: « Ma mère me fait du chantage. Elle me menace de tout dire à mon père. Si je n'obéis pas, elle me balance.

Je suis coincé. » J'ai demandé : « Et s'il l'apprend ? » Il a eu comme un sursaut dégoûté et il a répondu : « Il me tue ! »

Ce n'était pas la première fois que j'entendais une telle déclaration dans la bouche d'un garçon gay et je n'avais jamais su si je devais le croire ou pas. Le départ de mon père, qui avait fui l'oppression de ma mère alors que j'étais tout jeune encore, m'avait dispensé de ce genre de confrontation. Je n'avais jamais rien eu à lui révéler. Ni à lui ni à quiconque. Aucun chantage n'avait pu s'exercer sur moi au sujet de ma sexualité. Mais quand même, tuer son fils, c'était un peu fort, non ? Pourtant, ils étaient nombreux à vivre dans cette peur, parfois même jusqu'à l'âge de leur mort. À s'écraser toute leur vie. À se taire. À se dissimuler. Submergés par la honte et une terreur viscérale à l'idée d'être démasqués, de se montrer au grand jour, de parler. Combien de gays, en effet, ne disaient jamais rien à leur père ? À d'autres hommes de la famille, éventuellement, oui, mais à leur père, jamais. Et combien de mères, d'ailleurs, lorsqu'elles apprenaient l'homosexualité de leur fils, avaient pour premier réflexe de s'écrier : « Surtout, il ne faut pas que ton père le sache. Il te tuerait. » Étaient-elles sincères à de tels moments, ou prenaient-elles un malin plaisir à aggraver la situation, à la rendre plus tragique encore aux yeux de leur fils afin d'augmenter en lui une culpabilité due à sa différence et contre laquelle, déjà, il luttait avec tant de peine ? « Ah, que je souffre pour toi ! » sous-entendaient-elles ainsi. « Moi, je suis capable d'en prendre, je suis une mère, mais tu comprends, ton père, on ne peut pas lui demander ça. Ce serait trop pour lui. C'est un homme. » Mais lui demander quoi au juste ? Je n'avais jamais vraiment compris ce genre de raisonnement. Les pères étaient-ils par nature incapables d'aimer ? Leur seule réponse face à la différence devait-elle systématiquement être la violence ou la mort ? Nous en étions toujours au même point. À la suprématie incontestée de l'homme blanc hétéro sur tout et partout. Sur les femmes. Sur les enfants. Sur les gays. Sur les gens de couleur. Sur les employés et les travailleurs. Partout. Droit de cuissage. Droit de vie et de mort. Droit d'exil. Rien n'avait donc changé ?

J'étais perdu dans ces réflexions quand, tout à coup, un frisson m'a parcouru des pieds à la tête. Quelque chose n'allait pas. Je venais de m'en rendre compte. J'ai dit: « Mais ta mère, elle n'est pas partie très loin, elle va revenir. » Aussitôt, Christian m'a rassuré: « Non, non, ça va! Avec les bouchons du dimanche, elle en a pour un petit bout de temps. On est chanceux. C'est le seul moment où elle me laisse seul à la maison: quand elle va chercher ma sœur. Elle n'a pas vraiment le choix. Elle n'a pas du tout envie de me mettre en présence de mon père. Je le sais. D'une certaine façon, elle veut me garder jalousement pour elle. Je suis sa propriété. » Un immense soulagement s'est emparé de moi, et de lui aussi, c'était clair. Dès lors, ce n'était plus le même. Le plus dur était dit, le sac, vidé. Nous sommes passés à autre chose. Autant il avait l'air éteint en présence de sa mère, autant il pouvait s'allumer dès qu'il était loin d'elle. Le voir s'animer ainsi donnait l'impression d'un automate qu'on viendrait de mettre en fonction après une longue somnolence. Il parlait sans cesse, courait dans tous les sens, prenait des initiatives sans me consulter, me reléguant par là même à une extrême passivité et à un simple rôle d'observateur. Je le laissais faire, percevant intuitivement que de telles occasions de se laisser aller ainsi devaient être rares dans sa vie. Impossible de l'arrêter. Christian a sorti des piles de disques, un casque d'écoute, et il m'en a mis plein les oreilles. Changeant les vinyles régulièrement pour illustrer ses dires. C'est là qu'il s'est lancé dans ce long discours sur son avenir et sur ses goûts pour Verdi, Mozart et l'opéra. C'était merveilleux. Un tel plaisir, nous ne l'avons plus jamais connu. Une telle effervescence. Une telle complicité. Être tous les deux seuls, ensemble, à pouvoir discuter librement sans nous soucier de rien d'autre, cela n'est plus jamais arrivé. Ce fut la première fois, et ce fut aussi la dernière.

Je ne sais pas combien de temps nous sommes restés ainsi à discuter à bâtons rompus et à passer d'un disque à l'autre à un rythme effréné. Ce dont je me souviens parfaitement, en revanche, c'est qu'au beau milieu de cette agitation volubile, nous avons tout à coup entendu une voiture s'arrêter. Juste devant la maison. Des portières ont claqué dans un ensemble presque parfait et des voix féminines sont montées jusqu'à nous, si claires, si distinctes qu'un bref instant, j'ai pensé qu'elles étaient déjà là, à la porte de la chambre. Christian et moi avons échangé un long regard immobile dans

lequel se lisait à la fois la surprise et la consternation. Nous venions
de comprendre la même chose, au même moment: la mère et la
sœur étaient de retour. N'importe qui l'aurait compris. Nous étions
littéralement figés sur place. Statufiés. Comment cela était-il possible? Quel était cet horrible coup du sort qui venait de nous jouer
un si mauvais tour? Nous ne comprenions pas. Avions-nous oublié
de surveiller l'heure? Mère et fille étaient-elles rentrées plus tôt que
prévu? Quelque chose ne marchait pas, quelque chose avait modi-
fié nos prévisions et entravé le bon déroulement de notre plan. Peu
importait quoi à présent. J'étais totalement paniqué. Je n'avais
jamais vécu pareille situation et je me suis maudit de m'être laissé
entraîner de façon si inconsidérée dans un pareil bourbier. Mais
qu'est-ce que je faisais là? Qu'est-ce que je faisais là? Chez des gens
que je ne connaissais même pas, qui ne m'avaient pas invité et qui,
comble de mon malheur, avaient croisé ma mère pour la première
fois chez une amie commune quelques heures à peine auparavant.
Comment justifier un tel imbroglio? Je me sentais tout à la fois
perdu et ridicule. J'étais sûr que je ne m'en sortirais pas et que j'allais au-devant de la pire humiliation possible, d'un drame épouvantable, j'en étais certain.

Contre toute attente, Christian, lui, s'est montré d'un calme
exemplaire. Il est resté immobile, la tête un peu penchée vers l'extérieur, la bouche ouverte, les yeux perdus, guettant l'ouverture du
portail, le bruit des pas sur le gravier, puis celui des clefs dans les
serrures de la porte d'entrée, et ce n'est qu'une fois confirmée l'arrivée des visiteuses qu'il a soufflé dans ma direction: « Sous le lit.
Vite! » On était en plein vaudeville. Je n'en menais pas large. J'ai
obéi en me disant qu'il devait savoir ce qu'il faisait, qu'on était ici
chez lui, après tout, que je lui devais obéissance, et aussi parce que,
depuis les quelques heures que je le connaissais, je m'étais habitué
déjà à ce qu'il prenne toujours l'initiative à ma place. C'était lui qui
m'avait plongé dans cet univers insolite, c'était à lui de m'en sortir.
Mon sort reposait entre ses mains. Je me suis glissé sous le lit,
comme il me l'avait demandé, et il a négligemment fait tomber une
couverture sur le côté pour être certain qu'on ne me verrait pas par
en dessous. À peine avait-il terminé que la porte de la chambre s'est

ouverte. Un courant d'air frais est venu me chatouiller le visage, puis, une petite voix a surgi, que j'aurais attribuée à une fillette d'environ sept ou huit ans. « Qu'est-ce que tu fais? » a dit la voix, et Christian, très naturel, a répondu: « Rien, j'écoutais de la musique. » Et puis, il a lancé: « Tu viens? On descend voir maman. » Et leurs pas se sont éloignés en martelant légèrement le plancher couvert de tapis.

J'aurais dû comprendre alors qu'il y avait quelque chose de suspect dans un calme pareil, qu'il y avait quelque chose d'étonnant dans cette trop grande capacité de Christian Raux à faire face à l'imprévu, à s'adapter, à réagir, que cela cachait une sorte d'habitude, voire une expérience à gérer des situations étranges. Comment un gamin de cet âge pouvait-il disposer d'une telle maîtrise de soi, d'un tel sang-froid et d'une telle habileté à se retourner? J'aurais dû me douter, oui, mais j'étais encore à mille lieues de le faire, à mille lieues d'imaginer les innombrables ressources de Christian Raux. Pendant ces minutes interminables passées sous le lit, je ne pensais à rien d'autre qu'à moi-même, me laissant envahir par une peur irraisonnée d'être découvert. De nature, pourtant, j'étais aventureux. J'avais toujours aimé le risque, l'insolite, et je m'étais souvent engagé sans fléchir sur des chemins obscurs et peu conventionnels, exposé aux dangers, à la violence ou à la réprobation sociale. Chaque fois, la tentation de prolonger ces instants audacieux m'avait guidé tout autant que l'impérieuse volonté de m'y soustraire au plus tôt. Pure provocation. L'idée du danger me grisait. Plus aiguë était ma conscience d'être emporté, voire broyé, par un système plus fort que moi, et plus je me sentais renforcé. Cela ne faisait que renouveler ma motivation et nourrir cette sorte de fierté que je ressentais à tenir tête aux lois, à la fatalité et à mes propres appréhensions. Pourtant, ici, tout me semblait différent. Il me semblait, brusquement, qu'on m'en demandait beaucoup. Je me sentais prisonnier des lieux, sans issue de secours, je n'avais aucun contrôle sur rien et, de plus, me savoir si proche de chez ma mère, que l'on puisse associer mon nom au sien, ne faisait qu'accroître mon angoisse. Dans les circonstances, l'anonymat des silhouettes grises de la nuit ne me protégeait plus. Je me sentais à découvert.

Quand Christian est revenu, je n'en pouvais plus. Il s'est age-
nouillé à côté du lit et il a glissé sa tête à mon niveau. Lorsqu'il a vu
mon regard terrorisé, il n'a pu s'empêcher de sourire. La situation
semblait l'amuser beaucoup et il avait l'air, en tout cas, bien plus
décontracté que moi. « Écoute, a-t-il soufflé, elles sont à la cuisine
et je vais m'arranger pour les occuper là-bas. Tu n'as qu'à te mettre
sur la pointe des pieds, descendre l'escalier sans te faire remarquer
et sortir par la porte arrière, juste en bas des marches. Elles ne te
verront pas. Ensuite, tu contournes la maison par la droite pour
éviter les fenêtres de la cuisine. Et le tour est joué. C'est d'accord? »
Je n'ai pas répondu. J'étais incapable de réagir. La tête de Christian
était toujours coincée sous le lit et j'ai vu qu'il plissait les yeux pour
vaincre l'ombre dans laquelle je devais disparaître. Il a attendu
encore un peu et puis il a dit : « Il faut que ce soit maintenant, sinon
tu vas passer toute la nuit sous le lit! » À ces mots, un grand sourire
a illuminé de nouveau son visage. Je n'ai toujours pas bougé,
tétanisé par ce qui m'attendait. J'avais les yeux démesurément
ouverts et je ne pouvais rien faire d'autre que de fixer les traits de
son visage qui m'apparaissait comme en cinémascope, dans une
bande très large mais coupée en haut et en bas. Ma panique était
visible. Au bout d'un moment, Christian a dû comprendre que je
ne sortirais jamais de là tout seul. J'en étais incapable. Il a poussé
un bref soupir et il a déclaré : « Bon d'accord. Alors, on va descendre tous les deux ensemble. Comme ça, si tu fais du bruit dans les
marches, ça paraîtra plus normal. Elles vont penser que c'est moi.
Et puis, si tu te fais prendre, je serai là aussi. » Ensuite, il a tendu sa
main vers moi, en agitant un peu les doigts pour m'inviter à le
rejoindre tout en signifiant qu'il fallait faire vite, et puis, il m'a rassuré : « De toute façon, ça ira. Tu n'as pas à être inquiet. En bas de
l'escalier, tu n'as que trois pas à faire sans moi. La porte est juste à
côté. Je te la montrerai. » Et je suis sorti de sous le lit.

Avant que nous quittions la chambre, Christian m'a désigné
une feuille de papier qui traînait sur son bureau et il m'a mis un
crayon dans les mains. « Tu vas m'écrire ton numéro de téléphone
chez toi pour que je puisse t'appeler. Moi, tu ne m'appelles jamais.
Tu m'entends? Jamais. Tu attends toujours que je t'appelle. Mon

numéro, tu l'oublies. Ce serait trop dangereux. » Ce disant, Christian a posé sa main sur mon épaule comme pour conclure un pacte. C'était la première ébauche d'un contact physique entre nous, et de sentir sa main peser sur moi, ne fût-ce qu'à travers mes vêtements, m'a aussitôt ouvert les portes d'une sensation merveilleuse. Je me disais : « C'est pas le moment, il faut déguerpir », mais la seule idée d'esquisser le premier pas qui m'éloignerait de lui m'était soudain devenue intolérable. Mes inquiétudes se sont envolées instantanément et un frisson délicieux a chassé pour quelques secondes l'incongru de la situation. Je me sentais complètement fébrile. Je me suis surpris à penser que tout arrivait en même temps, que ça allait trop vite. Que c'était dommage. Tout à coup, je me serais bien attardé un peu par ici. J'avais envie de poser ma main sur celle de Christian, d'ébaucher une caresse et de voir, mais par après seulement, s'il s'agissait d'un simple geste de connivence ou d'un élan d'une tout autre nature. Je n'en ai cependant rien fait. J'avais toujours le crayon entre les doigts et Christian déjà se retournait pour me montrer où écrire. J'ai inscrit mon numéro en très petit sur le bas de la feuille, j'ai déchiré le papier, je l'ai plié en quatre, puis en huit, et je l'ai glissé moi-même dans la poche de pantalon de Christian. Il portait un velours côtelé brun, ce qui, je devais le constater par la suite, tenait chez lui un peu de l'uniforme. Quelque chose de doux s'est glissé contre ma peau. Très brièvement. Christian a eu un petit sursaut gêné et il s'est raidi brusquement. En une seconde, la magie venait de se briser. Le charme n'opérait plus. J'avais fait un rêve, court mais réconfortant, et qui m'avait emmené aussi loin que possible, mais il avait suffi d'un petit mouvement sec, d'un rire étouffé, d'un battement de cil fuyant et la réalité avait repris le dessus sur mes émotions. J'eus l'impression d'être revenu en arrière, d'avoir parcouru le temps dans le mauvais sens, et je m'éveillais de nouveau dans la même urgence : il fallait sortir de là.

J'ai saisi mon manteau. Christian est passé devant, prudemment au début. Il glissait comme un chat sur la moquette, velours contre velours, puis il a enchaîné plusieurs enjambées très larges et très déterminées et il s'est mis à dévaler les escaliers en faisant un

boucan infernal pour couvrir le bruit de mes pas, tapant inutilement sur le bois de la rampe à plusieurs reprises et faisant mine de
chantonner un air endiablé comme s'il était de super bonne
humeur. J'étais terrorisé. Je n'avais pas d'autre choix que de courir
derrière lui et je l'ai suivi à petits pas pressés, retenant mes gestes,
essayant de poser chaque pied avec douceur et précision, et en
même temps, emporté par le rythme fou de cette fuite en avant.
Sans même m'en rendre compte, j'avais ramené mes mains, doigts
croisés, sur ma tête comme pour me protéger d'une catastrophe
qui, j'en étais sûr, allait me tomber dessus d'un instant à l'autre.
J'employais tout ce qu'il me restait de forces vives et de conscience
pour me concentrer sur la coordination de mes mouvements.
Avancer, ne pas faire de bruit, poser le pied, lever le pied, tourner,
avancer encore, repérer une nouvelle marche, respirer, poser le
pied... Cela me semblait un exploit technique du plus haut niveau
que je considérais avec un serrement de cœur comme lorsqu'on
contemple à froid une tâche éprouvante qui nous est imposée et
que l'on doute de réussir. J'avais l'impression d'être un athlète en
pleine compétition, un aventurier devant un nouveau défi, un
explorateur face à l'inconnu, et je savais que je n'avais pas le droit à
l'erreur. Plus que jamais je me sentais le centre d'attraction du
monde qui m'entourait, le héros d'un quotidien sur lequel étaient
braqués tous les regards, toutes les caméras, pendant que l'on tournait les exploits insensés du film de ma vie. Tous étaient en haleine
autour de moi, car de cet instant crucial dépendait non seulement
le succès de l'opération, mais aussi l'avenir de ma relation avec
Christian à laquelle je tenais déjà, comme par instinct, sans même
avoir eu besoin d'y réfléchir. En quelques secondes seulement, nous
étions en bas de l'escalier. J'ai vu Christian continuer tout droit et
franchir la porte du salon, puis se diriger vers la cuisine, en se dan-
dinant et en continuant à chanter comme s'il n'avait jamais vécu de
moment aussi exaltant que celui-ci. Avant de disparaître, il a vaguement lancé son bras vers l'arrière pour me montrer le chemin que
je devais suivre. Tout allait très vite. J'ai cherché un peu du regard
cette fameuse porte dont il m'avait parlé et, effectivement, elle était
là. À peine trois pas plus loin. Un peu en dessous de l'escalier. Je

me suis précipité vers elle en priant intérieurement pour que je
n'éprouve aucune difficulté à l'ouvrir. Christian ne m'avait rien
mentionné de spécial à ce sujet. Cela devrait aller.

La porte était fermée au verrou, un très petit verrou qui glissa tout
seul, sans aucun bruit, dès la première pression de mes doigts. J'étais
chanceux. Pas de bruit non plus quand le battant tourna sur ses
gonds. Tout allait bien. Dehors, l'obscurité était complète. Je me suis
glissé à l'extérieur et j'ai refermé la porte doucement en espérant que
Christian ait la bonne idée de venir donner un tour au verrou d'ici
peu. Mais peu m'importait, l'essentiel était fait. J'étais sorti et j'étais
sauf. J'ai contourné la maison par la droite en me baissant par réflexe
comme lorsqu'on passe devant un écran de cinéma pendant la projection. Je marchais doucement pour limiter le crissement du gravier
sous mes pas mais déjà je me sentais libre et rassuré. J'y étais presque.
Encore quelques pas et j'attrapai le portail qui donnait sur la rue. Je
le franchis. J'étais sur le trottoir. J'eus l'impression de respirer pour la
première fois. Personne à l'horizon. J'ai pris le temps de vérifier que
je me tenais bien droit de nouveau, j'ai passé une main négligente sur
mon manteau, puis j'ai pris la direction de chez ma mère. De l'extérieur, rien n'aurait pu trahir ce que je venais de vivre.

Pendant les mois qui ont suivi, nous nous sommes vus plusieurs
fois, Christian et moi. Pas vraiment souvent, mais plusieurs fois. Il
m'appelait quand il savait qu'il allait être libre et, si je l'étais moi
aussi, je m'inventais un besoin urgent d'aller voir ma mère et je
fonçais à Saint-Brice. Parfois, j'insistais pour qu'il essaie de venir
jusqu'à Paris, mais c'était compliqué. C'était loin. Il devait prendre
le train, le métro; cela demandait du temps, de l'organisation. La
seule fois où il s'est risqué à venir jusque chez moi, j'ai insisté pour
qu'il se laisse prendre en photo et je l'ai fait poser longuement dans
la cuisine tellement j'étais content de pouvoir m'approprier enfin
quelque chose de lui. La séance de photo a pris presque tout notre
temps et il a fallu faire vite ensuite, car il devait repartir aussitôt
après. Un peu déçu. Il aurait préféré faire autre chose, profiter de
Paris. D'autant plus que les photos n'étaient pas réussies. Quand je
les lui ai montrées, quelques jours plus tard, il a fait la moue. Dans

ma précipitation, j'avais mal réglé la lumière, plusieurs d'entre elles étaient floues et à contre-jour. Il a quand même accepté d'en garder deux ou trois, les meilleures. Je me suis contenté des autres. Aujourd'hui, c'est tout ce qu'il me reste de lui, ces photos qui ont passé avec le temps, sur lesquelles on le distingue si mal et qui ne le mettent pas en valeur. Au début, il me suffisait d'y jeter un œil, sans même les regarder vraiment, et tout me revenait en mémoire avec une précision incroyable, son visage, son sourire, ses regards de braise, sa façon de toujours renifler parce qu'il avait froid et qu'il avait la flemme de se moucher, sans compter tous les bons moments que nous avions passés ensemble au long de cette folle aventure qui fut la nôtre; et puis, avec le temps, les souvenirs sont devenus de plus en plus rares et de plus en plus confus. Maintenant, je n'en ai presque plus. Je suis obligé de me concentrer longtemps sur chaque photo pour essayer de ranimer une scène, une émotion, mais presque toujours en vain. J'ai beau me crever les yeux sur le papier, je ne le vois plus jamais tel qu'il était dans la réalité, et je dois me contenter de cette silhouette lointaine, jaunissante, aux contours incertains, derrière laquelle je ne reconnais personne.

Quand nous étions à Saint-Brice, nous n'avions aucun endroit où aller. Nul abri où exprimer notre intimité. La ville s'étendait devant nous, impassible et froide, sans venir à notre rencontre. Pour tous les autres, dans ces cas-là, il existait les cafés, les chambres d'hôtel, la maison des amis, les autobus, les couloirs des gares et des stations de métro; pour nous, il n'existait rien, hormis les parcs, les taillis touffus, les buissons écartés, les rues désertes et les parcs de stationnement désaffectés – la nuit. Depuis toujours, l'ombre était notre seul véritable logis. Celui de tous les nôtres. Combien de rencontres étaient ainsi gâchées par l'absence d'un lieu adéquat où se réfugier, par l'impossibilité de se trouver un nid où il serait possible de dire : « Ici, nous sommes libres. Faisons ce que bon nous semble. Ici n'existent ni regard de travers, ni censure, ni honte, ni peur des autres. » Nous étions prisonniers d'un protocole social qui ne nous convenait pas et qui, comme toujours, ne tenait aucunement compte de nous. Aux yeux des autres, nous n'existions pas. Leur système dominait tout, que cela nous convienne ou pas. Que cela tue nos histoires ou pas. Que cela nous brise le cœur ou pas. Nous étions des clandestins dans notre propre monde, un monde qui, soi-disant, était fait pour nous et par nous, chacun à égalité de droit et de devoir. Dans les faits, il fallait se taire et se cacher. Pour la millième fois de ma vie déjà, je faisais de nouveau le constat d'un décalage incommensurable entre ce que cette société exigeait de nous et ce qu'elle pouvait nous rendre en retour. Nul endroit où exister.

Le plus souvent, nous partions nous réfugier dans le petit sous-bois, pas très loin derrière les immeubles de la cité. Je regardais par la fenêtre du salon de ma mère d'où je pouvais voir la rue qui menait chez Christian. Je faisais semblant de discuter avec ma mère ou ma sœur mais en fait, c'est la rue que j'observais, seul cela importait, et dès que je voyais Christian surgir sur un trottoir, j'attrapais mes affaires et je courais sur ses traces. Je ne marchais jamais à la même hauteur que lui, jamais, car il fallait rester toujours un peu en retrait, un peu caché, au cas où sa mère passerait par hasard. Et puis, il était important que personne ne fasse le lien entre lui et moi dans ce vieux village bavard de la région parisienne. Notre marche prenait quelques minutes, puis, toujours sans nous rejoindre et sans le moindre geste de connivence, nous nous enfoncions tout à fait au fond du petit sous-bois, dans sa partie la plus moche, à la limite de la zone industrielle, clôturée par des fils de fer barbelés, là où on était sûrs de ne pas être dérangés, entre deux énormes tas de décharges municipales. Lorsque enfin il s'arrêtait, je pouvais parvenir jusqu'à lui. On ne parlait pas. On se bécotait vaguement, adossés aux troncs d'arbres frêles et malades, et il me donnait sa bouche, timidement, les lèvres retroussées. C'était l'automne. Nos pieds s'enfonçaient dans un épais tapis de feuilles jaunes et brunes qui faisaient un bruit de papier froissé et que personne ne foulait jamais car, excepté nous, nul n'aurait eu l'idée de venir se promener par là. C'était un petit bois trop maigre, trop moche, pour de vrais promeneurs. Rien à voir avec la grande forêt qui s'étendait à peine un peu plus loin et que tout le monde adorait, du moins ceux qui n'avaient rien à cacher. Mais il fallait une voiture pour se rendre jusque-là, il fallait du temps. Or, nous n'avions bien souvent ni l'un ni l'autre.

Je n'étais pas amoureux de Christian Raux. Ça, je l'ai toujours su. Nous n'étions ni particulièrement proches, ni particulièrement liés. Il me plaisait bien, c'est tout. J'avais une sorte de « kick » sur lui, et comme les maisons de nos mères étaient voisines, c'était pratique pour se voir. Le fait qu'elles se connaissent nous a beaucoup aidés à passer inaperçus. Il existait une sorte de facilité dans cette relation, une sorte de logique qui nous incitait presque malgré nous à nous appeler chaque fois que nous en avions la possibilité, à nous faire signe, sans même que nous ayons jamais ressenti le besoin de réfléchir aux raisons profondes qui nous poussaient à agir ainsi, ni au désir que nous avions l'un de l'autre, et encore moins à l'utilité de continuer à se voir, surtout de cette façon. En ce qui me concerne, cependant, j'avais quand même le sentiment de lui venir en aide en lui offrant ma compagnie. Je me disais que j'étais une sorte de bouffée d'air frais pour lui. Je lui permettais de respirer. Les minutes qu'il passait avec moi étaient les seuls instants où il pouvait être lui-même, s'exprimer, se sentir en confiance. Mais cela, je le sentais confusément, c'était une perception personnelle que je n'ai jamais vérifiée, car nous n'en avons jamais discuté ensemble. De toute façon, l'eussions-nous fait, je ne suis pas sûr que Christian Raux se serait véritablement ouvert à moi et qu'il m'aurait confié les motivations réelles qui le poussaient à venir me rejoindre dans ce petit sous-bois. Je croyais avoir accès à lui. Je croyais être son confident, une sorte d'interlocuteur unique et privilégié. Il n'en était rien. Dans les faits, Christian Raux était beaucoup plus complexe et plus mystérieux qu'il voulait bien le laisser paraître.

Il est arrivé une ou deux fois que je me sente envahi d'une sorte de pulsion incontrôlable en me trouvant en face de lui. Dans ce petit sous-bois, justement. Alors, je m'enhardissais. Je me pressais un peu à ses côtés, je collais mes jambes sur ses jambes, je faisais courir mes mains sur son éternel pantalon en velours côtelé, mais il me repoussait toujours. Il a refusé toutes mes avances. Toutes! De ce fait, je me faisais de lui une image très pure, très chaste. Il n'avait pas vingt ans, et moi, vingt-six ou vingt-sept, je ne sais plus. Je me disais que c'était normal cet écart d'attitude entre nous, cette différente façon d'agir, cette distance qui ressemblait à de l'indifférence. Je me disais qu'il ne pouvait pas être rendu au même stade que moi, ni aux mêmes expériences. Je me rappelais que certaines choses prennent du temps. On commence doucement, puis on progresse tranquillement ; on s'aventure petit à petit, geste après geste, baiser après baiser, de rencontre en rencontre. Je me disais que je devais être une des premières rencontres de Christian Raux – ce qui me flattait, d'ailleurs – qu'il n'était pas habitué encore à poser la main sur un homme et à sentir la main d'un homme se poser sur lui, et qu'il n'y avait rien d'extraordinaire à cela. Au contraire. Tout était normal, parfaitement normal. J'avais devant moi une petite colombe blanche qu'il fallait respecter, apprivoiser, en acceptant d'aller à son rythme, d'attendre, peut-être longtemps, peut-être en vain, peut-être pour rien. J'apprenais à être désintéressé. Et plus je me répétais cela, plus je me faisais à cette idée, et plus elle me plaisait. J'aimais cette pureté que je retrouvais en Christian Raux et qui était absente de toutes les autres relations que je pouvais entretenir en même temps à droite et à gauche. Christian Raux était mon retour à l'innocence perdue, à la pureté des origines. C'était agréable.

Et un jour, est survenue cette révélation que je n'ai jamais pu oublier. Je voyais Christian depuis un certain temps déjà et rien n'évoluait entre nous, comme s'il était écrit que notre histoire devait demeurer statique à jamais. Immobilisée dans le temps, dans les lieux et dans ses sentiments. Nous étions je ne sais plus où et j'avais insisté cette fois encore pour faire un peu plus avec lui que ces éternels baisers d'adolescent plutôt lassants, presque mécaniques et très répétitifs, qui ne m'apportaient plus de plaisir, car ils ne servaient de prémisses à rien, ne débouchant sur strictement aucune envolée passionnelle. J'avais protesté devant l'éternelle passivité de Christian, devant son éternelle pruderie. Je me disais que les airs de sainte-nitouche, au bout d'un moment, ça commençait à bien faire. Qu'il fallait soit progresser, soit arrêter. Mais comme toujours, il m'a dit non. Il a tourné la tête un peu de côté et, cette fois, j'ai compris qu'il cachait quelque chose. Il a pris un air embarrassé, je ne sais pas, le même air que d'habitude peut-être, ou peut-être que non, ou peut-être avais-je fini par changer, peut-être étais-je plus attentif ce jour-là, ou devenu plus apte avec le temps à lire derrière l'expression de son visage. Quoi qu'il en soit, cette fois-là, une pensée m'a traversé comme un éclair, une pensée tout à fait nouvelle, dévastatrice et brûlante comme une boule de feu, et qui allait changer radicalement le sens de notre relation, mais une pensée qui n'entraînait nulle douleur pourtant, acceptée à l'instant même où elle avait surgi, aussi surprenante fût-elle, et aussi décevante aussi, déjà digérée, comme sans répercussion, ce qui n'était pas possible bien sûr, et c'est alors, guidé par cette mystérieuse prémonition, cet instinct de celui qui connaît la vie gay, c'est alors que j'ai dit : « Tu vois quelqu'un d'autre, n'est-ce pas ? » Je ne me suis pas du tout demandé à ce moment-là comment une telle chose était réalisable, concrètement, comment Christian pouvait s'organiser alors qu'il avait tant de mal déjà à planifier ses fuites pour venir me voir moi, je ne me suis pas du tout demandé comment c'était possible, comment il faisait, où il allait et où il trouvait le temps, les moyens, seul importait alors le fait d'apprendre qu'il voyait quelqu'un d'autre, que ce quelqu'un avait des privilèges que je n'avais pas et que c'était à lui, cela crevait les yeux, qu'il donnait ce corps qu'il m'avait toujours refusé. Je voulais savoir, j'avais besoin qu'il le dise, juste pour comprendre, pour comprendre pourquoi nous étions toujours bloqués, comme ça, sur le plan physique. J'avais besoin d'une explication, et à plus forte raison d'une explication qui ne me mettrait pas en cause, ni en accusation, et me déchargerait de toute responsabilité, m'évitant ainsi ces nombreuses remises en question que j'étais sur le point de m'imposer et qui commençaient à me harceler en même temps que montaient l'angoisse, l'incertitude et le manque de confiance en soi. Qu'il y ait un autre homme, finalement, cela expliquait bien des choses, et cela faisait mon affaire. Après tout, nous n'étions pas engagés l'un envers l'autre. D'aucune façon, vraiment. Mais Christian ne répondait pas. Et son silence voulait dire oui. Alors, j'ai voulu en savoir plus. Pour m'assurer que tout allait bien pour lui, pour savoir où il avait mis les pieds, où il en était dans ce que je pensais être une initiation, des premiers pas de débutant. Et un peu par curiosité aussi. Pour mesurer le pouvoir que cet autre homme avait sur lui. J'ai demandé : « Mais qu'est-ce que vous faites exactement ? Quand vous êtes ensemble, qu'est-ce que vous faites ? »

J'étais sûr qu'il ne répondrait pas. Je me sentais d'autant plus à l'aise pour poser une question aussi indiscrète que j'étais persuadé de n'obtenir aucune réponse. Christian Raux avait une sorte de pudeur dès que l'on abordait les choses du sexe ; je ne le voyais pas se lancer dans de grandes explications à ce sujet. Tout du moins, c'est ce que j'imaginais, mais à ma grande surprise il n'a attendu que quelques secondes, il a pris une grande respiration comme pour passer un cap difficile, et il m'a dit avec une sorte de provocation dans la voix, sans oser cependant me regarder dans les yeux : « Tu as déjà vu un taureau avec une vache, un chien sur une chienne, un cheval sur une jument, un chat sur une chatte ? » C'était une étrange question, et j'ai répondu que oui, bien sûr, en percevant déjà ce qu'il essayait de me dire. Je n'ai pas eu besoin d'en savoir plus pour penser aussitôt à ce que ça pouvait signifier, cette histoire de comparaison avec les animaux. Et cela me répugnait. Le simple fait de penser à cette possibilité qu'il commençait à laisser sous-entendre m'agaçait à un point tel que je m'appliquai aussitôt à la tenir distante de moi, m'efforçant de la dissimuler le plus possible, de la tenir diffuse à mon esprit, étouffée quoique menaçante, tel un virus endormi, une bombe à retardement, comme pour lui donner une chance de signifier autre chose que ce que je craignais qu'il fût en train de me dire, pour lui donner une chance de se corriger, de se reprendre, de ravaler ce demi-aveu qui me terrorisait avant même d'être formulé, et de partir sur une piste différente, qui n'aurait rien à voir avec celle sur laquelle je m'aventurais déjà. Comme j'aurais voulu qu'il s'exclame alors d'un ton joyeux : « C'est une blague ! », qu'il éclate de rire au même moment, en lâchant : « Si tu voyais ta tête ! », et qu'il reste ce Christian Raux innocent et pur que je croyais fréquenter et qui me plaisait comme ça. Je m'efforçais surtout de ne rien visualiser, je ne voulais avoir aucune image de ce que pourrait donner Christian Raux en train de faire ça avec un autre, c'était quelque chose que je ne tenais absolument pas à imaginer, ça me traumatisait d'avance. Il fallait que cette idée reste floue, confuse, elle était déjà bien assez désagréable ainsi. Je savais que si cela arrivait, si j'avais un jour ce spectacle d'une manière ou d'une autre sous les yeux, mon corps se révulserait dans un mouvement de refus et se crisperait longuement tenaillé par la douleur. J'ai pris un petit air hypocrite, à la fois étonné et innocent. On n'entendait plus un seul bruit autour de nous si ce n'est un sifflement aigu qui perçait mes oreilles comme les sirènes qui retentissaient dans toutes les villes de France chaque premier mercredi du mois, à midi pile, sinistre rappel des pires présages, et il a dit : « Eh bien, la même chose ! »

Aussitôt, tout est allé très vite dans ma tête. J'étais complètement sous le choc. Que voulait-il dire par « la même chose » ? La même chose que les taureaux avec les vaches, que les chiens avec les chiennes, que les chevaux avec les juments et que les chats avec les chattes ? À quoi faisait-il allusion ? Non seulement ce que je comprenais à travers cette allusion me dégoûtait au plus haut point, mais le fait qu'il choisisse de se comparer à des animaux pour désigner ses actes me déconcertait et me semblait indigne de lui. On aurait dit un fils de paysan à la ferme qui apprend la sexualité en observant la vie des bêtes. Et inutile de préciser que cela aussi me dégoûtait. Quand même, on n'en était plus là. Il me faisait le coup du rat des villes et du rat des champs. J'étais la ville, il était les champs. Mais tout cela ne masquait pas l'essentiel de son propos et cet essentiel me crevait les yeux. Déchirait mon cœur comme une injustice. Me plantait des couteaux dans le corps. Se saisissait des villes et des campagnes et les faisait trembler jusqu'à ce qu'il n'en reste que des ruines. Des milliers d'années de civilisation. Et tout était à terre. Détruit. Ravagé. Tout cela n'avait servi à rien. Nous en étions toujours réduits à la même misère, ramenés au point de départ de l'humanité, au commencement du commencement. À la première goutte de sperme et au cri primal.

Il se faisait enculer. Voilà ce que j'avais compris et qu'il voulait me dire. Il jouait au timide avec moi et se faisait enculer dans mon dos. J'étais révolté. Je me sentais à la fois trahi et scandalisé. Scandalisé de découvrir qui il était vraiment, d'avoir été berné à ce point et de me retrouver en l'espace de trente secondes face à un adulte sexué alors que j'avais toujours cru fréquenter un adolescent naïf et à peine pubère. Mon petit, mon beau Christian. Je me sentais très paternaliste tout à coup, très protecteur, ce que je n'étais jamais d'ordinaire. Je me sentais très attaché à lui, presque responsable, ce qui était nouveau également. Une poussée sentimentale, en quelque sorte. Un peu déplacée, il est vrai, mais je n'étais guère en état d'approfondir la question et je n'avais ni force ni volonté pour essayer de me raisonner. J'avais envie de le mettre en garde, de lui dire : « Non, ne fais pas ça ; tu as tout le temps, pas avec n'importe qui, pas n'importe comment, n'importe où. » J'étais complètement paniqué. Visualiser cette image de Christian en train de se faire grimper dessus me répugnait et me donnait la chair de poule. C'était ignoble et cru. C'était sale aussi. Je pensais alors exactement ce que nos propres détracteurs pensent de nous sans même être capable de dominer ma réaction et de la diriger dans un autre sens. Je retournais contre lui les arguments des autres, de la majorité. Ce n'était pas mon rôle. Ils étaient assez nombreux à agir de la sorte. J'étais revenu au niveau zéro de l'intelligence et de la compréhension d'autrui. Je le voyais écarter ses fesses, ses petites fesses de vingt ans, et je me disais : « Mais c'est impossible, c'est impossible. Pourquoi il fait ça ? Qu'est-ce qu'il lui prend ? Il est obsédé ou quoi ? » Je l'imaginais assailli par un inconnu qui ne faisait absolument pas attention à lui, qui se jetait sur son cul sauvagement et le prenait dans toutes les positions et, pire, j'imaginais que Christian en avait du plaisir. Ah, comme je le détestais pour ça. Quelle horreur, mais quelle horreur ! Et en même temps, quelles leçons pouvais-je avoir à lui donner, moi qui faisais la même chose, exactement, depuis bien plus longtemps que lui et dans des contextes bien plus épouvantables, certainement ? Quelles leçons pouvais-je avoir à lui donner, quels reproches lui faire, alors que c'est le lot de l'être humain, d'une certaine façon, cette sexualité débridée, la quête du plaisir, le dépassement de soi et de la douleur dans le don du corps ? Qu'y avait-il à reprocher dans tout ça ?

Je me ressaisissais peu à peu. Christian avait raison de me parler de taureau, de chien, de cheval et de chat, car tel était le cours de la nature et l'homme en faisait partie. C'était à moi de me calmer et non à lui. C'était à moi de remettre les choses à leur juste place. Pourtant, comme si tout cela n'était pas assez, que nous n'en avions pas assez dit, que nous n'avions pas été assez loin dans la tourmente, j'ai voulu le forcer à aller jusqu'au bout de la laideur, j'ai voulu qu'il lâche son histoire d'animaux et qu'il nomme les choses telles qu'elles étaient, qu'il les dise avec de vrais mots, et qu'il pointe du doigt ce qu'il était vraiment, ce qu'il faisait, qu'il regarde tout ça en face, avec moi. Je savais que j'avais une certaine influence sur lui, je voulais l'exercer à mon tour, en user et en abuser, traîner le petit canari dans la boue. Puisqu'il aimait la fange, il allait en avoir. C'était comme une vengeance. À mon tour de profiter de ma force et de prendre le contrôle de ce petit être. Je ne le laisserais pas à ces vautours qui rôdaient pour prendre possession de son cul. Christian était à moi, à moi. J'étais le premier sur le coup, cela me donnait des droits, ceux des chercheurs d'or qui trouvent un filon bien avant les autres. J'avais l'exclusivité, c'était un engagement moral, il fallait le respecter. J'ai pris une petite voix mielleuse, comme si j'étais très compatissant, très à son écoute, mais en réalité, je savais que j'allais lui faire mal, je le savais et je le voulais, j'allais porter l'estocade et je m'en réjouissais d'avance. J'ai frotté le sol un peu avec le bout de mes pieds, jouant à celui qui hésite, qui est un peu gêné, et puis j'ai dit : « Bon d'accord, admettons, le taureau, la vache, le chien, la chienne, le cheval, la jument, le chat, la chatte, mais toi, tu es qui exactement, tu fais quoi ? »

Je n'avais pas besoin de poser une question pareille car la réponse, je la connaissais parfaitement. Tout cela était inutile. Odieux. Pure cruauté de ma part. J'étais en train de le forcer à se confronter à ce qu'il avait tant de mal à admettre et à reconnaître en lui. Il avait fait un effort avec moi, il avait osé parler, quitte à le faire par images interposées, il m'avait choisi pour ça, il m'avait fait confiance et sans doute étais-je le premier et le seul auquel il s'était à ce point livré. Il m'avait fait une confidence et voilà que je la retournais contre lui. Lentement, il a baissé les yeux et longtemps j'ai attendu qu'il réponde, grattant toujours le sol avec mes pieds pour cacher mon malaise. Il n'a pas ouvert la bouche. Pas le moindre son. Alors, j'ai pris son menton du bout des doigts et j'ai mis toute la douceur du monde dans ce geste, car Christian Raux, dans le fond, je l'aimais tellement, et à peine avais-je parlé que j'avais tellement honte déjà de ce que j'avais dit, il fallait lui demander pardon à présent, j'étais allé trop loin. J'ai voulu remonter son visage vers moi, j'ai voulu voir la clarté du soleil d'automne se refléter encore une fois dans son regard foncé, il résistait, j'ai tenu bon, et puis j'ai vu ses yeux. Il pleurait.

Christian Raux, c'est sa mère qui l'a tué. Elle savait qu'il aimait les hommes. Elle lui disait: « Tu as le vice dans la peau. Tu es un malade. Je ne te laisserai pas faire. Je vais te guérir de force. Je t'empêcherai de sortir. Tu ne verras personne. Tu resteras toujours enfermé ici, à la maison, avec ta sœur et moi. » Elle hurlait littéralement et, tout en parlant, elle jetait des yeux fous aux alentours pour vérifier que portes et fenêtres étaient bien fermées. Elle était toujours derrière lui, ne le lâchait pas une minute. Elle surveillait ses sorties, son courrier, les coups de téléphone qu'il passait et recevait. Il n'y avait qu'un seul appareil. Elle l'avait placé dans sa chambre. Toujours à portée d'oreille. Elle fouillait dans ses affaires, dans son sac de classe. Elle effeuillait les pages des livres qu'il lisait à la recherche de lettres ou de papiers secrets. Et lui, Christian Raux, il a fait comme il a pu. Il a inventé. Il a cherché mille solutions pour échapper à ça. Ne serait-ce que pour réagir, pour s'opposer à cette prise de pouvoir inacceptable et étouffante. Pour vaincre la vigilance odieuse de sa mère. Pour retrouver sa dignité à lui. Se croire le plus fort. Surmonter les contraintes imposées. Il a inventé. Tout un système. Il était tellement intelligent, tellement vif, curieux de tout, des êtres et des arts. Il a trouvé mille solutions. Il répondait à des annonces en secret. Dans *Libé* et dans *Le Nouvel Obs*. Il appelait les lignes de rencontre téléphoniques. Il se branchait sur les réseaux électroniques du minitel. Et quand il ne pouvait pas le faire de chez lui, il appelait d'ailleurs, de n'importe où. Chez les amies de sa mère. Dans les bureaux de poste. À partir des cabines publiques. Il était passé expert dans l'art de se connecter en moins de deux, de parler tout bas et de raccrocher sans se faire remarquer. Il disait : « Je vais acheter du pain. J'en ai pour cinq minutes ! » Sa mère le laissait aller, et pendant ces cinq minutes, il trouvait le moyen de répondre à un appel, de laisser un message ou de donner un rendez-vous. Toute sa vie, le palpitant de sa vie, tournait autour de cette nécessité de la fraude, du mensonge et de la dissimulation. Sans le savoir, sa mère avait donné un sens supplémentaire à ses jours. D'une certaine façon, il jouait. Il était Superman, James Bond, un agent des services secrets, un espion infiltré dans les lignes ennemies, il était le héros d'un incroyable film d'aventures dont il écrivait lui-même le scénario et qu'il mettait lui-même en scène. Il n'avait pas vingt ans. Il acceptait de voir tous les hommes qu'il arrivait à joindre. Jeunes ou vieux, beaux ou moches. Peu importait. Il suffisait qu'ils soient libres et qu'ils acceptent de se déplacer jusqu'à Saint-Brice. Et puis, il faisait ça n'importe où, dans le petit sous-bois dégueulasse, dans les voitures, dans l'ombre des hangars désaffectés de la zone industrielle, ou tout au bout du quai de la gare, le soir, quand les trains étaient rares. La liste de ses amants ne faisait que s'allonger à une vitesse hallucinante. En quelques mois, il avait littéralement écumé tout le département. Il n'arrêtait jamais. Il était connu dans tout le Val-d'Oise. Et quand il ne trouva plus personne dans les environs, il élargit son champ de recherche. Il recrutait plus loin, toujours plus loin, jusqu'à Paris, dans l'Oise et la Seine-Saint-Denis. Il entrait des codes sur le minitel et au téléphone pour procéder par ville, par département. Il était ultra-méthodique. C'était sa revanche à lui. Sa prise de possession de son corps, de son destin, de son identité. Plus la pression de sa mère était forte sur ses épaules et plus il multipliait les aventures, les risques et les dangers. Il ne faisait attention à rien. Ses rencontres duraient quelques minutes seulement. Il avait l'art d'expédier ça en moins de temps qu'il n'en faut pour le dire. C'étaient des éjaculations de lapins, qui ne prenaient même pas le temps de sécher et qu'il fallait essuyer aussitôt. Il ne se déplaçait jamais sans sa dose de mouchoirs de papier dans les poches. Mais il s'en foutait, Christian

Raux. Ce n'était pas l'amour qu'il cherchait, c'était la liberté. C'était prendre sa vie en mains. Assumer ses choix. Exploser. S'envoler. Se griser de l'interdit et se montrer à lui-même qu'il était le plus fort. Il était patient, Christian Raux. Il était lumineux, insolent et fier. Il croyait dans l'avenir. Il savait que son heure arriverait, et elle est arrivée, en effet.

Christian Raux, c'est sa mère qui l'a tué. Je m'en fous, je le dis. Parce que si je ne le dis pas, moi, personne ne le dira. Les autres, ils ont tous leur conscience pour eux. Les parents. La sœur. La famille. Les amis. Ils savaient, plus ou moins selon les cas, ils savaient, mais ils n'ont rien dit, rien fait. Ça ne se peut pas que tout cela soit passé totalement inaperçu, qu'il n'y ait jamais eu la moindre fuite, le moindre soupçon. Ça ne se peut pas. Mais ils ont laissé faire. Retranchés derrière leur sens des convenances et de la moralité. Ils sont tous convaincus d'avoir fait ce qu'il fallait, comme il le fallait et au moment où il le fallait. Et puis, voilà le résultat. Christian Raux, mort, tué par sa mère. Tout comme des milliers de pères et des milliers de mères tuent leurs enfants de par le monde sous le même prétexte et avec les mêmes mots, la même incompréhension, la même absence d'amour. Plus ou moins tués. À petit feu, plus ou moins vite, mais toujours efficacement. Les mêmes insultes. « Pédé! » « Gouinasse! » Le même rejet. « Fous le camp d'ici, je ne veux plus jamais te revoir! » Les mêmes condamnations. « Tu as le vice dans la peau. Tu es un malade. Je vais te guérir, de gré ou de force! » C'était toujours de force.

Christian Raux est mort sans jamais avoir vu sa fin venir. Sans savoir. Sans comprendre. Sans jamais avoir eu le temps de mesurer la fragilité de sa petite vie ni d'évaluer les conséquences et les répercussions que les choses avaient eues les unes sur les autres, sa mère sur lui, lui sur ses relations sexuelles, et ses relations sexuelles sur sa vie. Il est tombé malade et tout le monde, autour de lui, lui a caché la vérité. Je l'ignorais également. La première alerte est passée presque inaperçue. Un abcès dans la bouche. Il était toujours faible, maigrissait à vue d'œil, mais il pensait que c'était parce que l'abcès l'avait empêché de manger. Pendant des mois, je suis resté dans son voisinage sans même m'inquiéter de sa santé tant il aimait répéter qu'il allait mieux, que ses maux n'étaient pas très graves, qu'il allait s'en sortir, qu'il se levait la nuit pour vider le réfrigérateur et reprendre des forces, retrouver son poids d'avant. Il voyait bien qu'on doutait, qu'on était un peu sceptique quand même, alors il ajoutait : « Si tu crois que j'ai le sida, tu n'y es pas du tout. Mais alors pas du tout ! » Et il partait d'un grand rire forcé, aux accents de folie, qui résonnait étrangement et qui finissait par s'éteindre, tremblant et dérisoire, sans que personne n'ait osé lui donner un écho. Et puis, je l'ai perdu de vue. Ce n'est que l'été suivant, ou celui d'après, je ne sais plus, mais cela est allé très vite, que ma mère m'a appris sa mort.

Nous étions en Corse. Ma sœur Évelyne était là également. Nous nous rendions à la plage par la route habituelle. La voiture suivait cet étroit serpentin qui descend du village jusqu'à la mer. Tout allait bien, et tout aurait dû continuer d'aller bien, mais la vie ne le veut jamais ainsi ; il survient toujours quelque chose qui prend un malin plaisir à gâcher même les plus beaux instants, surtout eux d'ailleurs. J'étais assis à l'arrière. Ma mère m'a regardé tout à coup dans le rétroviseur central et elle s'est adressée à moi. « Tu te souviens du petit Christian qui habitait en face de chez nous ? » a-t-elle dit. Et son ton a suffi pour que je comprenne. J'ai reconnu aussitôt cette façon de faire qu'utilisent toujours les gens pour vous annoncer ces choses-là. J'ai reconnu l'intention. J'ai su tout le reste de la conversation comme si elle était déjà chose du passé, j'ai su très exactement le flot de paroles qui allait se déverser inéluctablement et venir jusqu'à moi pour m'assommer et me faire la peau, jusqu'au choix des mots, j'ai su les intonations, les phrases inachevées, leurs sous-entendus, tout, et des frissons glacés ont commencé à parcourir mon corps en grinçant. Je ne la regardais plus. J'ai jeté un regard à travers les fenêtres pour que mes yeux se posent n'importe où, comme ça, sur les corneilles dans les champs, sur les arbres morts calcinés par le soleil ou par les incendies, sur les murs de pierre qui délimitaient le contour des propriétés, sur les vieilles voitures qu'achetaient les touristes allemands lorsqu'ils décidaient de s'installer ici pour faire de l'élevage biologique et qui étaient stationnées n'importe où n'importe comment à côté des maisons qu'ils habitaient, sur les amandiers, les figuiers, les oliviers, tous mêlés dans un ballet que je ne dissociais pas, sur tout ça, sur tout ce qui pouvait exister et qui n'était pas ma mère, et j'ai répondu que oui, je me souvenais de lui. Alors ma mère m'a demandé si je savais qu'il avait le sida et je n'ai rien dit. C'est par elle, ainsi, de cette façon horrible et sans ménagement aucun, que j'ai eu la confirmation de ce que j'avais toujours craint en silence et ignoré sans jamais avoir cherché à l'apprendre vraiment. J'ai eu envie de lui répondre : « Et comment tu veux que je le sache ? Il ne le savait même pas lui-même avec sa salope de mère… » Mais ça ne m'intéressait pas de l'inclure dans la confidence. Pourquoi l'aurais-je fait, elle que je plaçais maintenant plus que jamais dans le lot de ces mères meurtrières et de ces pères meurtriers, de ces individus bien-pensants, tous coupables et tous responsables. Pourquoi lui aurais-je livré le moindre mot sur le désarroi, la souffrance et la fin de Christian Raux ? De telles confidences se méritent. Il faut faire une chaîne d'amour autour de destins si tragiques et ceux qui n'ont aucun sentiment doivent être tenus à l'extérieur. Ce que je fis. J'ai laissé ma mère en dehors du cercle. Je n'ai rien dit. Un silence confus a flotté quelques instants, puis elle a ajouté : « Il était homosexuel, tu sais ? » Et puis elle a dit : « Eh bien, il est mort. » Et il m'a semblé entendre comme une leçon dans sa voix, comme si elle voulait me dire : « Voilà ce qui arrive lorsqu'on est homosexuel. On attrape le sida et on meurt. » C'était comme une évidence toute simple, une de ces nombreuses mises en garde bien intentionnées qui nous proviennent de l'autre bord. « Tu vas finir seul ! », « Tu vas mourir du sida ! » Éternelle rengaine. Et je l'ai détestée pour ça. Plus que jamais. Pour ses mots. C'était ça la morale de l'histoire pour elle, pour elle comme pour les autres, évidemment. Quelle merde !

Aussitôt, j'ai été pris de nausée et j'ai serré très fort mes bras autour de mon corps pour m'empêcher de vomir. Je me sentais glacé malgré la chaleur suffocante. Tout tournait autour de ma tête. À ce moment-là, quelque chose s'est brisé en moi, quelque chose que je ne saurais nommer et qui, depuis, n'a jamais cessé de me faire mal, jamais. Tout s'est effacé autour de moi et je ne voyais plus ni ma mère ni ma sœur, ni la mer au loin, ni la terre de Corse brûlée sous le soleil. Rien, du noir et du vide, c'est la même chose. Alors, j'ai essayé de le rejoindre, lui. Sans m'en rendre compte, comme s'il se fût agi de la seule chose à faire dans un pareil moment et qu'une sorte de réflexe me guidait malgré moi, devenu sans volonté aucune, sans résistance, sans capacité. J'ai essayé de penser à Christian mort, à son corps qui ne bougeait plus, j'ai essayé d'entendre son rire encore, de songer à ses passions, pour la musique notamment, et pour la vie en général, j'ai essayé de revoir son sourire si blanc qu'il semblait insolent et fier, et tout cela était intolérable. Christian vivant, Christian marchant à côté de moi dans le petit sous-bois dégueulasse de Saint-Brice-sous-Forêt, ça oui, je pouvais l'imaginer, mais Christian mort, fini, *kapout*, c'était impossible, ce n'était tout simplement pas acceptable, je n'y parvenais pas. Alors, j'ai ramené mon regard vers l'avant et pour me donner du courage, pour faire bonne figure et pour essayer de me concentrer sur autre chose que Christian, j'ai fixé la route qui se présentait devant nous et se découvrait, égale et indifférente, au détour de chaque virage, de chaque colline. Ensuite, la voiture a brusquement cogné contre un trou dans la chaussée. J'ai vu les deux silhouettes de ma mère et de ma sœur s'enfoncer mollement dans les ressorts des sièges et la perspective devant moi m'a soudain paru plus grande, plus dégagée, comme si le pare-brise s'était élargi, puis leurs deux corps ont rebondi vers le haut et tout est redevenu comme avant, les choses ont semblé reprendre leur place normale, le temps a semblé suivre son cours normal, lui aussi, si ce n'est que pour moi, à partir de cette minute, tout avait changé. Je savais que je ne serais plus jamais le même, qu'il y aurait toujours Christian désormais à mes côtés, comme un petit frère, éternel adolescent qui n'aurait jamais pu grandir.

Aujourd'hui, Christian est devenu un véritable fantôme dans ma vie et, quand je pense à lui, je pleure. Je ne sais pas pourquoi mais cette histoire de Christian Raux tué par sa mère, je n'arrive pas à l'accepter, je ne la digère tout simplement pas, elle m'est intolérable. C'est ma révolte à moi. Si j'écris ce qui s'est passé avec lui, c'est parce que je voudrais que cela cesse une bonne fois pour toutes. Des cas semblables. Car cela continue, je le sais. Nous le savons tous, au plus creux de notre résignation qui, quelquefois, se change en cris et en mots. Mais pas assez souvent. Et je voudrais qu'arrive le jour où je serai capable de reprendre toute cette histoire les yeux secs. Je ne veux pas oublier, seulement arrêter de pleurer. Arrêter ça. Les larmes et les yeux mouillés.

Repères bibliographiques

Des versions précédentes de certaines nouvelles de ce recueil ont déjà fait l'objet d'une publication en revue.

« De tant de luttes engagées », *Mœbius*, n° 61 (automne 1994).

« Depuis Colomb et Magellan, histoire des jeunes conscrits de l'an-cienne caserne royale de Belém », *XYZ. La revue de la nouvelle*, n° 38 (été 1994). Grand Prix de la nouvelle de la revue *XYZ*.

« Maintenant que je sais », *Écriture*, avril-printemps 1995.

« Ma mère défigurée », *Virages*, n° 1 (mars 1997).

« Alain qui part », *Orientations*, vol. 1, n° 6 (1997).

« Père et fils », a paru sous le titre « Ce cher papa » dans *Nouvelles fraîches*, n° 9 (1993).

Table

Dans la même collection

PAO : Éditions Vents d'Ouest inc., Gatineau

Impression et reliure : Imprimerie Gauvin ltée
Gatineau

Achevé d'imprimer en septembre
deux mille trois

Imprimé au Canada